王朔——著

我的千岁寒

北京出版集团公司
北京十月文艺出版社

王朔自话像

身体发育时适逢三年自然灾害，受教育时赶上“文化大革命”，所谓全面营养不良。身无一技之长，只粗粗认得三五千字，正是那种志大才疏之辈，理当庸碌一生，做他人脚下之石；也是命不该绝，社会变革，偏安也难，为谋今后立世于一锥之地，故沉潭泛起，舞文弄墨。

目录

自 序

——我是谁

这几天经常被人问到，你去而复来，所为何来？想了半天，才想起我是共产党，我们全家都是共产党！我的亲戚朋友父母两系无一不是共产党，我们那个院全是共产党，我们那条街全是共产党，一家子，一家子，一院子，一院子，男女老少都是共产党。北京复兴路，新北京，那是共产党的老窝。是红的，不是那黑的。我小时候经常做梦日本人来了，把复兴路两头堵了，挨家挨户抓人，我还偷偷往海军大院跑，结果那边也是日本人……不说了。我从小是当兵卵养大的。一睁眼就在人群中，都是小孩和阿姨。十岁以前我不认识我爸爸，经常一帮大人走过来，我就往家跑，跑到家里半天，家里没人进来，我再出去，刚才是任海的爸爸过去。

我爸就是一绿军装，我妈就是一呢大衣。脸不记得。孙子才想活到四十岁呢！十岁以前我就不认识不是共产党的。后来搬到老段府，才见到老百姓，北京人，旗人。我还觉得到了穷国呢。

十八岁我当海军，正经八百服兵役，为了反对帝国主义的侵略去的，不是为了分房子，升官发财。当时想的是要么死在海战里，要么当上海军司令回来。海军大院的女孩都挺漂亮的，江浙人多嘛，华东海军的底子嘛，没见过白人。后来仗没打起来，我被解散了，回北京，流落市井，沾染习气，成了痞子——我他妈忘了我是谁了！我以为我是作家呢，我以为我是知识分子呢，我以为我是新贵呢，我以为我是流氓呢，我以为我是名人呢——操他妈名人！我跟你们混，我比你们混得好，跟你们混得一样，我跟你们比这比那，我真拿你们当亲人了！你们说我痞子，我还不乐意了。真得感谢叶京，一下让我想起我是谁，我是痞子，也是兵痞。你以为剃头就是和尚，当兵打仗也剃头。你们一个个人五人六的，会武功是吗？都是大侠是吗？金庸是你们爷爷是吗？你们各路大侠都来，我一门三七炮废了你们全体。是比不上美军，打你们全体富裕！你们知道叶京是什么人吗？坦克优秀炮长，一百毫米滑膛炮说打你左眼不打你右眼。我一多好的兄弟，清华博士，看了金庸的书，居然说写的都是真的，本来是寻找觉悟，改练神通了。

我这次出来，所有人都对我很好，都欢迎我。我本来觉得这社会不需要我了。我以为你们拿我当仇人，我就是仇人。却都没有，都特别好，我感动了，我没仇人，都是朋友，我对读者原来有个妄想，觉得这帮孙子都是势利眼，没想到人家都对我很好，宽容我，让我放刁，我真不好意思了。中国人挺好的，没我想的那样，我觉得我挺操蛋的，我真的对不起大家，谁也没得罪过我，我这一世在中国挺顺的。我干什么了，大家这么拿我当回事。便宜全让我占了，大家还好像觉得我对大家有益似的。你们劝我出书，我还就出了。这本书里收的是我在2005年、2006年写的几个东西。《宫里的日子》比较简单，是根据《资治通鉴》改编的小武的故事，不完全是严儿可严儿的史实，有些废太子李承乾的行举安在高阳身上了。是给老徐写的，希望今年能拍出来。

《梦想照进现实》大家知道了，这名字来自美国一位抽象现实主义画家Edward Hopper的画，上面是一间卧室，门外是大海。今天我宁愿叫《妄想照进现实》。他对光的处理是好莱坞所有摄影的爷爷。

《能断金刚般若波罗蜜多经（北京话版）》是非典期间写的，这里发的是第二版，第一版我已经没了，曾发给过池莉，不知她那里还有没有，尹丽川那里好像有，那是我在完全没有觉悟的情形下望文生义乱解的，没了也就没了吧。本来还想用初中物理再解一遍，现在心浮气躁，日后再说吧，用物理定律解看得更明白。

《我的千岁寒》取材《六祖坛经》，本来是给张元写的，也是屡经三版，认识每提高就重写一遍，到2006年10月物极必反了，无法终稿，索性把写作痕迹留在上面也好，无明的力量是巨大的，觉醒的力量也是巨大的，认识无止境，就把每一个脚印留在身后，以警自己。

《唯物论史纲》原来叫《论上帝是物质》，是给我女儿考大学出的提纲，结果她没写，我一推不可收拾，发现物质后面还有人，本来想一路推演至今日，实在是路途漫长，崩溃后也停在物质联合那里了。也留了些遗绪在纸上，请大家指正。

我曾经深陷妄想不能自拔，曾经躺在“88”地上起不来，是一个不认识的女孩子走过来对我说：没事的，我们每个人都一样。我这辈子受人恩惠甚多，我爸说我拔一毛利天下而不为，我知错了，从今后戒骄戒躁，勇猛奋进，《金刚经》讲“法尚且可舍，何况非法”。瞧好儿吧。请大家盯死我，若见非法，骂死我，助我永向光明，不堕黑暗。队伍整齐时，显不出我，我也不愿当敢死队，但打到最后，剩我一人时，我就是王成，还是那句话：有我在，就有阵地在。

2007 年腊八凌晨 4 点，我起来喝水，忽然哗的一声，手机进来一条短信：身安则道隆。北京东山寺邓隐峰丙戌腊八。

我想这是谁呀？想了半天不得要领，回了条：哪位大德？谢了。

对方回：阿弥陀佛。

不会吧？我回：再谢。

对方：善哉。

莫非是被金庸误了的那位老兄？我只认得这么一位遁入空门的人。

我回：还在行神通吗？

半天，对方：要看因缘。

果然是了。我回：弃了吧。

对方：腊八乃佛陀成道日。

我回：以宇宙之大，一切偶然都是必然。

对方不语。

我又饶舌：宇宙法则之二：你所知道的不是一切。

对方仍不答。

我意在调戏：还存着差别心呢，以为我不是正道。

对方发言：初夜得四禅八定；中夜得三身四智五眼六通，洞察三世因果；后夜睹明星悟道成佛得无上平等正觉。非同后世谈玄说妙，徒费口舌。

我回：你这是上师执。

又说：心外无佛。

又说：这些事用现在的话也能说得明白，下山吧，别装神弄鬼了，小心走入魔道。

对方：阿弥陀佛。

这段我记不清了①，只留对方短信：非关思维意识。第二条：非关语言文字。

——尽是别人的话。我回：无聊。

对方：负面情绪通常和身体器官的物理状态有关。

我回：心理主导生理。

对方：所以毛主席主张知识分子多做体力劳动。

我回：别让农民把你蒙了。

又道：你知我前世是谁吗？按你们的说法，我就是弥勒。——吹牛逼呢。

半天，对方：四禅八定会吗？

我回：还聊这些雕虫小技呢？

对方：会了四禅八定就能见着弥勒了。

我回：为什么你老想着看到别人？我这有一套《金刚经》送你。

对方：谢施主，经不是看的，是证的。

---

① 记不清的想起来了：宇宙同构。

我回：随你，你已经魔怔了。

之后我就睡了，早六点，见一条短信：空相也是相，看了空相容易走入狂禅。

这句话还说得靠谱，至少证了我个狂禅。我当日正要去新浪，无端悲愤，陷入川端所说“临死的眼”，一边收拾家里，作一去永不回状，最后回句：你不下山，我去看你。从此无有消息。

邓清——王伟和林少洲的朋友，清华留英博士，曾流连于房地产，为证神通，云游名山大川，遍访名师。大概现在号隐峰，应该还是居士。

目连当年为释迦牟尼门下神通第一，后为外道板砖拍死。释迦牟尼以此为训教育弟子，神通无有是处。

喜欢济公谢世诗：六十年来狼藉，东壁打到西壁，如今收拾归来，依旧水连天碧。

诗还是汉以前的好。南山有乌，北山张罗，乌自高飞，罗当奈何？乌雀双飞，不乐凤凰，妾是庶人，不乐宋王。

宋王门下舍人有美妻，宋王拘夫邀女，女回了此诗，一根绳子吊死。另一首诗赠夫：其雨淫淫，河大水深，日出当心。宋王问什么意思，门人回答：死志也。牛逼！什么月亮代表我的心。用六十倍望远镜看月，就是一块板砖。

三秦民谣：武功太白，去天三百，孤云两角，去天一握，山水险阻，黄金子午，蛇盘鸟栊，誓与天通。——牛逼！

狐欲渡河，无奈尾何；妇死腹悲，唯身知之；悬宫漫漫，怨死者半。——奇奥。

山川而能语，葬师无食所；肺腑而能语，医师色如土。——

奇奥！

造矛造矛，少间弗忍，终身之羞，余一人所闻，以戒后世子孙。——奇奥。

让大家见笑了。

王朔。2007.02.04

注：喜欢毛主席的诗：为有牺牲多壮志，敢教日月换新天。喜欢金刚经的话：凡所有相，皆是虚妄。

我的千岁寒

1. 时——觉悟者释迦族的明珠湮灭物质形式回归能量圈两个五百公转儿后，第三个五百公转儿内。

大——欧亚陆架中央隆起雪山发源之水越撇越长撇出一江一河流入太平洋，流域地区是唐朝——女士主政时代。

师——我该挎弓没挎弓挎着麻绳和柴刀，一顶斗笠，一手提拳一手下垂，走在亚洲板块遭太平洋板块推搡起这一层由南滚向北的皱褶肌纹中。

至——东经 24 度，北纬 113 度大约莫之间，有一堆土叫南华，鼓包上有一叫宝林的勾腿盘坐和尚食堂。我去蹭朋友饭，饭已忘，朋友名已忘，都不重要了。

韶——太阳刚出沿湖行走，来人口含刀，有帽檐有钩儿有斜刃，反映比唱还像歌，今天的意思就是会聊天。

州——大河之间，仅只一脚，之外就可以放开游了。

韦——大概不是壮族。

刺史——你们今天叫市长吧?

与——惊回首腰里一件东西瞬时直了。听说我来了。

官——宝盖儿下一户一户的。

僚——披甲持戈人。也挺会聊的。进山看我，也有点起哄，送我刺绣送我宣纸送我毛笔——我说我不识字。

刺史如今想来也是好大一团影儿，说话夹着字儿，衣味儿相当香，音儿在，也是个很好玩的人，面容确实如羹了。步辇摆在下山路，一定要请我去吃好茶，城里有座大梵寺煎的茶好，树也大棵，顺便给他和他的一城人讲讲觉悟是怎么回事。一城人听说我来了，都高兴坏了，农人也不做田了，工匠也不做工了，商民赶着拼铺板，妇女已合掌端着一架架在路上，说了，再见不到我就要往坏处想了。

女主不是好谈觉悟吗？出过家庭——虽然是第一家庭逼的。也想找人证明——还是已经写了？愿意自己是菩提萨埵——恋物觉悟者再来。女主喜欢，就是风气先，时尚不叫时尚叫和尚了。

我还就去了。我要不去只怕我那朋友第一个急死。这个刺史这么能闹，再不走也混不成了。法海这个小子也在我身后摇头晃脑，跟谁递眼神呢？——你扇起的风都把我吹感冒了！我走上步辇，一举刚可好看到众人头囟，黑黑白白一坛围棋子儿。

——你那个转世可把人家白娘子害死了。我回头指骂。云子儿被沏了一罐水，游游晃晃载着步辇一势向下冲去——最远一粒子儿已被冲到山道尽头儿。

瓢亮子儿翻面儿是法海满盘左轮七窍：和尚你欠我一顿聊天儿——今天还了。

刺不穿甲就刺史，喘得跟朵儿云似的，降着香就过去了——云回头儿，云拱手儿，云游先了。云后坠着游槌儿，过会儿游过朵儿，手扶提梁，手背、后脑勺儿都给抡圆了。

我在云吹间载浮载沉，飘向平原，摇目垂了。

2．庙，不聊了，庙就是和尚吃糖，歇转儿，出离物质观的地方，后来成了纪念堂，成了面面观，成了大使馆，成了邮局，激流中人摁下葫芦起来瓢投下物力等浮力——一报还一报的地方。

城，也不聊了，土成两侧一溜溜，一顶顶，大屋盖儿——大盖帽的祖宗。街上摆着酒菜儿，人在街上狂吃飞喝手拉手来回跑管那样儿叫奔放。

随便用点！一醉汉昂首迎街，见来人甩袼褙大请。随便用点！

不饿。我惊慌摊开十指解释。

法海箭步如飞，一手挡嘴：不是冲您。嘉年华——今儿。太阳转近了——今儿。全国让玩儿。皇上媳妇儿都带皇上上则天门瞧老百姓热闹呢。

又一醉汉迎街憨立，见人就舞胳膊五指乱搓：又打胜仗了！全——捂了。

好好，比打败仗好。——怎么蹲下了，你没给人一膀子吧？

我连他毛儿都没擦着——没您事您别老瞎应承。法海一开掌儿，搪一溜人手——都快搭棚儿了。

什么没我事儿？人就冲着我，我还不能回答了？放我下来。

法海五大指把我摁轿上跟着心跳起落。

——你就这么对你师父，摁着不让起来？

3．全国自助餐——你以为呢？女人，第一回摸上大猫，第二回摸的又是大猫，还能怎么高兴？——我让你们多玩。后来老百姓有点没样儿，连吃带拿，京畿道能歌善舞不说了，关内道娶媳妇儿也全赶这一天，轿子直接抬长安街上，新人下来端着筷子张着嘴儿，喝躺下的人从宫门口码到城门口，赶上下雪，都盖着棉被。皇家警卫团黑桃 3 都下去帮着往家背，好儿回迷路还是叫人拐了再也没回来。通济渠的粮船儿都划散架了！吐鲁番的葡萄都揪秃了藤了！种葡萄的吃不着葡萄干儿。狄仁杰跟武则天说：这可不行，老玩都不干活了，将来国无可用之银，无可用之兵了。天儿说：一年就一回。狄爷说：我瞅着就好几回了，我才来几天？您是叫我来参政议政的吗？——我回家了。天儿说：好好，叫他们把羊肉泡撤了。你别急呀，都听你的了。狄爷说：不是，不带这样的，这样会把老百姓惯坏的。薛仁贵说：得得得，就跟你多会打仗似的。

到你了到你了——快去呀。法海手指头猛捅我。我朋友也把我往外搡。

我身子歪到三点不走：什么急呀，还没叫人儿呢——你是姓崔吗？我问法海。

我姓对，叫对你好。法海说，哥你怎么成一慢脾气了？

女子的爸是谁呀？

老好。

刺史进来我朋友正跟法海说：你原来姓贾，你妈姓庄，你爷爷是学历史的，你们一家子叫假装记性好。

4．我奔门口一溜达，还是臊了。一千多人，那是法海后来说的。我听见门外人潮声儿，已经抬不起头了，心里就一句，生下来第一句话：你能别管我吗？心里这骂：一千多人，是聊天吗？这骂自己：明知会难受，还是把自己弄难受了！一定是动了物质性，憋着图人家点什么——甭骗自个儿，你小子，无往不在属性中，一念即对环境做功。

法海说，我一出门，直奔大树底下那圈阴凉儿，一眼都没奔外瞅，一看就是又被人多臊着了，又跟自个儿急了。

我还是瞅了一眼，光瞅见背了——都盘地上鞠躬呢，一地弯着的脊椎，连上门里的，一起。什么官儿三十，老先生三十，没瞧见。“同时作礼，愿闻法要。”法海真能瞎转文。

5. 这个刺史太烦人了——这个刺史说：这是咱广东第一名人。

跟着领头鼓噪，噢噢喊两声，拍三下巴掌，再喊——日本人给自己打气那样。掉眉朝我递眼神：大伙多热情。——我全当没看见。一千人？全人类在这儿热情我也没表情。热情就能强迫我呀？人多就得随你们呀？我让你们把巴掌拍烂。

刺史说：请大师……

别，别，我忙拦住——法海说，你那相儿大了当时。我说看出来了？法海说是人就看出来了。为什么人一多你就起急呢？是啊，我说，为什么人一多，称赞我，我就严重不舒服，只能忍受五分钟——这五分钟臊眉搭眼，过了五分钟，对方话头再不收，心里就翻脸了。法海说你一定被众人抛弃过。

我说我一定曾与众人为敌，翻脸后心理处于临战状态，最大的渴望是眼前这称赞变成敌视，不礼貌就发生了。

现在法海已经不知何处去，上床后迷迷糊糊快入睡忽然明白了——找到准确表述词了，人一多，一个声音，在欢呼——甚于在抗议，我就感到野蛮。

6. 我拦住刺史话头，说：别叫大师——老师也别！有名字，叫名字。不叫名字，叫和尚——和气的风尚，也行。不是有那么句话嘛：在什么和什么面前没有老师。还有一句：在什么和什么面前个个平等。我最烦叫师了，叫师的，不是朋友。

对面日头把我射得如同铜人像。人像说：今天到这儿来，耽误大家时间了，佛，梵语，翻译过来就是觉悟，用做人称专指释迦牟尼先生。

教——教育？教会？不熟，今儿就不聊了，只跟你们聊聊作为动词的觉悟。这位说了，为什么不一水儿叫佛非矫情呢？怕你们误会，以为佛是超人，一般人学不来，也不配。觉悟人人可行，日常生活也常挂在嘴边，谁觉悟高，谁觉悟低——当然不全是一回事了。也不是你有觉悟你就了不起，觉悟越高应该越不叫人害怕。

觉悟什么呢？觉悟自己的本来性质。觉悟，在这里也是发现、醒来的意思。为什么不说培养、锻炼呢？怕你们误会。因为生命的本来性质是先天决定的，根本圆满的，跟后天演变没关系，培育修养不来，也不是精神锻炼的结果，也无从积累，只能发现，好比天地自然的秘密。说炼，也是炼自我发现的能力，不是说本来性质可以修炼像炼丹似的。

同学们，千万别想岔了！本来性质，不是意识深处那最善良愿望，那童贞性格，那清白和平人性。也不是物种本能，遗传基因——那都在变化中。

也不是灵魂——失去肉体支架后能储存记忆，带摄像头，配投影仪的意识存盘，心思光盘，无线电讯号。

本来性质，在人性质先，生物性质先，物质性先。本来性质，从来清净，不关价值观。但用本心——未投入生命演化因果链，未沾染文化——史观，文化进入遗传——是为进化。

人称赤子心，佛叫无差别心——无善恶、无羞耻感的光滑物质属性，蹑踪上寻，再进一步，便知来历、归处、原本是谁。也就是我们常说的顿悟——顿时觉悟。不经修行，直接了断人格观，生命观，物质世界观——成佛。各位，这是我最后一次提佛——字。从此叫觉悟——成就觉悟。

法海说，这时他站起来大嗓门冲后面嚷：别吵了，越吵越听不见。

我说我完全不知道。我是一逆光座位。

法海说所有人不知道我已经开始说话了，没一人瞧见我嘴皮子动，在露牙。

你声音又细，那会儿又没扩音喇叭，下面一千人，喘口气都跟起潮似的。我——法海同志，坐前排净让人扒拉——都快熟了！听见的都是：听不见！怎么还不开始呀？还以为你坐那儿发呆——生了气呢。刺史也不明白了，直扒拉我，问我：生我气了？边上还有人说：也太爱急了吧——这大师。

法海把他整理好的会议发言稿拿给我，说：就这几句，还是我现编的，你看行吗——我给您念！

“大师告众曰：善知识，菩提自性，本来清净，但用此心，直了成佛。善知识！且听惠能行由得法事意。”

像您的话——当然你平时不这么说话——像您的精神吗？

行吧。我说。你呀，爱怎么编怎么编——随便编。以后凡是字儿都不要拿来见我。什么叫善知识？我采访采访你，是说我拍大伙儿马屁吗？

那就改成善于学习的同学？

7．我原来姓卢，卢惠能。我爸给起的名字，生下我来不是为了将来送去做和尚，他是希望我学些实惠的技能，长大能过上实在日子。

我们家原来是北京丰台的。最早山顶洞那批人——听说过吧？——就有我们家祖先。祖先从周口店下来，见一条大河流得好流得壮阔，佩服，高兴，舌头打嘟噜，撸、卢、卤、路，打够了，就管这条河叫卢沟了。

就别再往远走了，走哪儿也是不熟，也是虎多，猫眼多，就在卢沟边上支根棍儿伪装成草住下吧。多洗澡，人家闻不出味儿，慢慢再想法子收拾大家伙。

要不怎么姓卢呢？跪在沟——崖畔射箭，指沟为姓。那时卢沟上还没桥。北京？先别聊了，都别跟我这儿充老北京儿。

老卢家在范阳，也是一郡望族，乱出人儿。王谢那时已经不在了，飞——就是寻常百姓了。民间话儿：关西出将，关东出相。出将说的是山西薛家——老粗。出相说的就是潼关以东的卢家。男的能做官儿，女的能做官儿太，一门名人，名儿不提了。

河北儿歌：过清河，有浪催；过卢沟，杨柳翠。催小孩的就是清河老崔家，也是孩子念书好，同是河北道两大户，跟老卢家比着出进宫的士人。老崔家唱人面不知何处去，老卢家唱万里归心对月明。老崔家白云千载空悠悠，老卢家旧业已随征战尽。老崔家停船暂借问，老卢家大雪满弓刀。味儿不太一样，互相有点较劲。

老卢家比较重视体育。那时代卢沟已经没水，半年朝阳，半年背阴，河床都是沙子，小孩玩的沙包都是那儿装的。

老卢家祖上是撑船的，摆渡世家。沟干了，竿儿还在，开始练撑竿跳，挺高的把自己挑起来，上哪儿啊？还得落回来，净蹾脚了。改练杂技，在卢沟两岸架上鱼皮搓的独绳儿，端着竿儿活十字架似的在上面来回走，鱼皮滑吧？鱼皮有弹性吧？鱼皮特勒蛋儿。

老卢家男孩能数清手指头，母亲就给孩子单切碗面，一碗面最少三百刀，比粉丝细，卧俩鸡子儿，多搁香油。父亲拿出竿儿传给孩子，细数老崔家史。之后，写个士字给孩子看：瞧见没有这是谁呀？孩子哪知道啊？——不知道。

这是你，你拿个竿儿站在沟边上，往前一走，你就是十——满分呀！你稍微带点口音念这个十——士。对喽，你就是士。必须是。士——考试上来的干部，一个阶级的谦称。干部世袭叫贵族。一家子会考试——豪门。

字，把老卢家孩子当画儿，画进去了——把你当榜样了，你还能怎么办呢？

别人家孩子呢？孩子问。

别人家孩子放下立刀转过身去都叫民。——没说皇上家啊，皇上家没了咱们，就剩白不呲咧了。

父亲握着孩子的手连竿儿一起端平：千万别成七。

竿儿是老卢家的图腾。族徽曾经准备圆圈中一个人端个竿儿脚不沾地，那就是个十站圈儿里。但是老田家不干。说我们家小篆那时候就是圆的，非逼我们改成方的，我们惹不起，我们改了，现在你们又来了——不带这么像。

改成劈腿——大，站圈里。风吹久了，横竿儿掉漆，有点像奔驰。

我爸自小顺着读书、做官、做大官、进长安——这条老卢家、老崔家不知多少家低头汉趟过的独竿儿步步往前挪，都出燕山了，都过五台了，看见潼关了——抬头了吧？姿势不对了吧？成七了吧？

可能是办砸了事，可能是跟错了人，这一套我就不懂了，反正是遭了不待见，认识多少人都没用，这时才知人家是人家，你是你。

都没瞧清来人儿脸，乌纱帽就到人儿手里。刚想问，嚓一声脆，髻儿绞了，头散了，玉簪子掉砖地上两瓣儿了。还没顾上捂，缎子官衣扒了只剩相扑带儿。再转身重新看见门，门口越来越大——后背上摁着一只大汗手越摁越出油照直推过去。

听说被开除出阶级了，听说降为人民了，都是听说。家被抄了家归国库从此叫国家了，这是见着了，就是来人说的。流放岭南，已经拖着腿望着山外有山太阳越来越近行在路上。

8．听说大家都很愿意做唐朝人？这话我和当年我们一起在唐朝待过的朋友听了都乐，李世民听了都乐：想好当谁了吗？前几天我们唐朝同朝会——唐会，组了一局，都来了，大李老李和小李——老李没来，老李来的是活话儿：你们就这么干吧，早晚有一天。天儿来了，天儿多会呀，天儿跟谁都客气，就是瞧见环妹不大爱理：你还在温泉干桑拿呢？环妹回头说：我怎么那么爱理她呀，别假装女强人了。净瞧我们白胖，没瞧我们人喘。

隆哥夹一包假装事特多来了，说你想好没有要包环妹当二奶，环妹说没戏。隆哥说这可是你说的，现在成我上赶着了当初谁哭着喊着？环妹说我那不是岁数小不懂事嘛，你还想蒙我多少回呀？问我：哥，你说我是不是又胖了？你那叫正好。

大李一屁股坐我旁边：去，环妹，跳会儿舞去。跟我说：我查了，没一个叫卢行韬的。武德三年不可能，我还和王世充打仗呢，岭南也不归唐。你爸要是那一年去的新州那就是跟着冯盎的部队平叛去的，算隋朝的人。我说你还真当回事，我就那么一说，还真查。不行啊大李说，得查呀，欠谁的账一笔笔都要还，守恒呀。大李说，要不就是贞观十二年？那年我是跟姓卢的全体急过一回——和姓崔的。他们修《氏族志》还把老崔家老卢家排头两名呢，排我们老李家前边，不带这么吹牛逼的。再就是“六清”的时候，我是办一大批干部，那会儿你已经出生十多岁了。

还不许吹牛逼呀？小杨广一屁股坐我另一边：万一是咱爸吹牛逼呢？其实就是广东人，广东人寒碜吗？咬着耳朵跟我说：唐朝，我靠，没一回换猫不出事的。大李说去去，哪儿都有你——你还真像一男模。

大李现在郊区开一马场，每天围着马转，自己喂马，给马洗澡，自个儿弄了一马术队，准备参加奥林匹克比赛去。你其实是一爱马的人我说。

也不知谁带来一宋朝人，文先生，现在巴黎开餐馆，一人喝大了，坐那儿掉眼泪，指着心跟我说：——这儿疼。我要在你们那朝也不至于。忽哥正好在旁边房过生日，过来跟大伙喝一杯，看见文先生说你怎么在这儿？赶紧走赶紧走。

一个朋友说：都说历史真相不能掩盖，看来还是可以掩盖的。

唐朝，我靠，玩得多悬啊！我这朋友说。没一回换猫不出事的。第一回，大猫还没说话呢，黑桃枪先把小猫和黑桃杰克一块儿办了，完了回来叼着大猫奶头跟大猫哭着聊，大猫不但同意你当小猫还同意你连大猫一起当了得了。二回，大猫儿这边刚合眼，小猫儿一回屋，满屋红桃。唐朝犯桃花。

我这朋友，专赌小猫，回回没赌上。本来挺有戏的，还想那，将来我要立宪法，将来我要穷人都上学，结果都不是他宣布的。结果是专来陪小猫走黄泉路的。最后赌得手也软了，说我看会儿吧。一百年里连砍三回头，搁谁也含糊。至今脖子上还有一圈红印儿下不去，一喝酒特别明显。说就跟过去世界杯似的，得三回就永远是你的了。睡觉老落枕，平时老戴一金链子挡着。我这朋友总结唐朝三条：一、犯桃花；二、小猫太悬；三、两千万人就冒充世界强国。

我个人的意见是，到哪个时代您自己也得有眼力见儿。

我也不能同意我妈的意见，说我爸正直，不能同流合污所以为同事构害。惠明，我兄弟，跟陈叔宝熟，管陈叔宝叫叔儿，《后庭花》就是他婶儿集体演唱的。老杨家也熟，老李家也熟，都和、帮过人家打群架。还真是打群架——跟海湾战争比。惠明说。只不过是几十万人的群架，没武艺。惠明特别诚恳地跟我说：都堵在那儿，射过箭之后，两边一对冲，跟堵车一样，十里二十里，根本抡不开，第一排和第一排都抱上了，还是小刀子好使，就看谁胳膊时间长了。越百万大军越得排队，且排呢，有的队快，有的队慢，还有加塞儿的，且聊呢——后边，聊一天了，队老不动，前面赶上个时间长的。有一架忘了跟谁了，从早晨聊到第二天下午，前面一点声音都没有，就挺老多人傻逼似的在山里排着队，太阳挺老高，一个扒一个肩头睡得死去活来一片呼噜声。我挺好一兄弟，到他了还没醒，叫人当瓜切了。我还一挺好兄弟，两臂有千斤之力，还是酸了，实在抬不起来了，刀也成蛋筒儿了，被两边人挤着，死去多时脚不能沾地。太阳落山了，前排都回头乐，说往后传：赢了。什么和什么就赢了？

秦王勇绝一时，每次临阵轻骑长弓一人就冲了，十回五回敌人大队生被他冲散了，五回刺猬似的让人追回来了，一次睡了，一次转丢了，好几天才回来，满脸土自己人都不认识他，要抵抗他，只得摘下头盔说是我，破敌无数长队连皮儿都没蹭破过。窦建德二十万人攻幽州，薛仁彻一百人就把他打败了。李密占领东都洛阳，王世充找了个长得像李密的人捆在一边，大队砍大队正激烈时，把这人推到队前喊：李密被捕了。李密就失败了。突厥颜利可汗率百万控弦之士连营南下，秦王率百骑冒雨渡河进攻，可汗忙派人来劝：秦王不必渡河，没别的意思，就是来问问咱们还是朋友吗？带着百万射手就撤了。因为下雨弓都开胶了，弦儿都耷拉了，突厥骑兵背着弓，二胡不像二胡，弹棉花的不像弹棉花的。

李渊晋阳起兵前问世民：联百万众天下可得否？世民答：多。十万？还多。一万？李渊有点不高兴，跟你说正经的呢。是说正经的。世民说。一千人骑一千匹马，站住不跑，天下姓咱俩。

什么百万之众呀？中原这边全是农民，拿着自己家菜刀。草原那边都是牧民，拿着自己窝的弹弓。就第一排能打，都是各地的流氓。冲过第一排，就剩追了，想砍个人费劲着呢，放倒二百人，就是大捷了，杀敌一千，几百里没人影儿，首级上万，都是砍附近村里老百姓的。有一回我冲突厥，冲过前排，我都傻了，全跟那儿放羊呢，射过来一堆树枝儿，叶子都没捋，差点没把我鼻子气歪了，我冲他们嚷：你们能正经点吗？

惠明在大庾岭追上我，我藏了。惠明为逗我出来，矗立石头顶喝问：打一个唐朝用多少人？我没忍住，笑着出来了，说：一千。

然后惠明才说：我是为法而来，不是为衣来。然后又说：你一走，没人聊天了。

怎么聊这儿来了？我问惠明。

整个东禅寺，就我和惠明好。我头天到，被发去后边碓房当苦力，就是惠明带我去的。惠明问我你们家哪儿的呀？我就跟惠明往远聊。惠明说：你们家世代钻营，令尊不能急流勇退，已经不能用正直来自夸了。不同流合污可能，只怕也不是出于正直，是畏惧大祸，是老实人。背景其实不深。

把什么也瞧不见，什么也不懂，什么态度也没有，问什么都跟头一回听说似的——当懂事儿，端在那个位子上，是狡猾。装理解力低很可恶。假懂事最讨厌。什么也不做就什么朋友也没有，耽误的可全不是上司的事。

无害无益可以不存在。无趣无碍干吗非跟这儿待着？——就剩老实了。老实算特长了？胆小都算老实一块了？老实不是坦白吗？什么时候换五官不灵了？真的，就是笨。

哪儿都一样，都是一手牌，人坐在一起，就是互相摸牌——谁不希望摸猫呀？

稳，就是心里盼，脸上一点看不见，摸手屎，也倍儿飘，屎都连上，也叫龙，一把屎走了也行，也叫有命。

出身好，就是起手点儿大。再香的牌攥着不打，人都走光了还那儿看画儿呢，是性格决定命运。好牌攥湿了，攥出水了，好牌怀才不遇。圣人，就是自己不上桌，老在背后看牌，给人支招儿，先走哪个再走哪个，有时还看两家牌，他是明白。

你既不是猫，又不是对儿，又带不进顺儿，您是一孤 3 儿，谁见了你都想立刻把你洗底牌去。

9．早年广东是出银子的地方，银矿都跟人岭南呢，银子北来。

熙熙攘攘像一片片移动的湖，流向全国当货币了。北方往南也有一路熙熙攘攘——我能说干校都跟广东吗？

岭南道下各州县都设有流放者安置地。一个安置地就是一个北方客圈子。北方客们可以一起聚聚，谈谈打算，谋划谋划，圈子和圈子之间也有信息交流。一时回不去，先设法去南海。南海紧邻道治广州，天晴可见广州城垛，想偷偷见个什么人，给北方友人鸿雁传个书信也较容易办到。官场气是通着的。

镇上住的流放者身份显赫，多为北方宫廷争斗失败贬来这里的公侯将相。还有一些小国王孙，城破国亡，整个王族被拿往京师游街，一献陵，再献庙，三献殿，早早降的，封了各种大将军，坚决与唐军作战的，徙二万里。这些落魄公孙来此天涯海角，宛如换了人间，终日无事，就在土街上吹牛聊天，本来互相也熟，当朝机密，军国往事，也曾都在。日子长了，躲在屋里郁闷的也出来见人了，去年恨不得你吃了我，我吃了你，今日相见，恍如隔世，唯有惭愧。当年互不摸的底现在也可以摸了。听他们聊天，可以知兴废。

南海是个水旱码头，联系两广的主要水道西江就从镇前流过，每日都有满载硬木玉石皮毛的货船从肇庆方向下来，回程就运唐三彩、铁器和布匹。穷汉、乞儿云集江岸，打捞水上漂浮的沉船遗物死兽腐竹。

南去雷州半岛的官道上总能看到旅人背影远去——流浪汉由麻点成人。四蹄儿刨地的驿马，常年不歇，刮风下雨总在路上。

前往粤西蛮荒边地赴任的文武官员船过南海唐地繁华就是过眼烟云了。一路北望社稷凌烟翘盼快马流星送来赦令的流刑者到此也就死了心。

那些年，朝中大事迭出，岭南这边人气越聚越旺。赶上冬天，南海土街两侧墙根，坐满窝脖晒太阳的老头儿，偶尔提句人名儿，经过的妇女都念阿弥陀佛。已然成了南海一景。老百姓叫名人街。远近好事者、小家碧玉专程结伴来看，数人儿。老百姓怜悯这些人过去对国家有功，看他们老在街上干聊，有从屋里递个板凳的，递碗茶的，新炒的粉给扒拉半盘的，正吃云吞省两个添勺汤给端出去的。有人考证说广东最早茶楼就是这么发展起来的，先在街上，后进棚子。我说不知道。

盛唐时期的人物都是上马为将，下马为相，也曾丧一邦，也曾破四方。当地驻军备不住就曾是他们中某人带过的队伍。主官就是某人亲手提拔的。军队讲这个，曾效命帐下，就意味着曾共阵前。和地方毕竟不一样。常见鲜衣怒马武将扛一只羊来看老首长，当街单腿跪一溜旧老头儿面前，转着圈叩首，在座的都是他叔叔大爷。军队在边疆那就是爷，爷的爷就是太爷。太爷不知天高地厚下场可耻，未必太爷就不是功臣，万一哪天皇上梦见从前了呢？万一哭醒了呢？万一不落忍了呢？你哪知他们从前多熟，都一块儿干过什么？

当地官府岂有不小心的？所谓管束，就是每日殷勤探望，早上送米，晚上送柴，逢年过节，还要送酒席。口头禅是：并不敢无礼。

若见敲锣打鼓，一帮公家人牵着披红骏马，簇拥着一顶贴着大红喜字的轿子喜洋洋在街上行走，千万别以为这是动用公家交通工具娶你，考状元的也别跟着瞎激动，跟你们都没关系。准走到一靠墙根打瞌睡苍孙——旧老头儿跟前，一齐给鞠躬，先给念一张黄纸，接着一窝蜂上去扒苍孙褴褛衣裳。再麻利让开，当街站一紫气冲天大官。大官先宾着，后来实在绷不住，哈哈一笑，上马——腿脚不利索的就进轿，一帮公家人跟着跑起来，绝尘而去。

这时再看这帮老头，个个耷拉着脑袋，忍着不屈。我认识一外号天下第一岔的女的，就在这一刻爱上了一落泪老者，说英雄泪最迷女孩子，好汉一软弱她就立刻想替他做点什么，可能是母性。第一岔说。

也有没敲锣打鼓，没牵马抬轿，一帮公家人带根绳儿晚上悄悄去了，进门也先给念张黄纸。第二天，少一老头儿。

这帮老头儿还会外语哪，说是那时的国际语，也是宫廷社交语，贵族都会，想不会也不让，朝廷列班小半扇金眼远人，国际纵队。唐朝大猫，说他们是世界主义者，恐怕也不是。自报是老子后人，只怕也不是。他们就一个标准：我的人，和不是我的人。

那些被强烈日光晒得日见淡黄的外国人甭管白黑也都会讲这门语，见到那帮老头儿就挤个肩膀坐下，半天递一句，那边嗯一声。我外国话不行，听不出是哪国话，我一朋友，新疆的很长时间人，扒我耳朵小声跟我说：突厥。我还就信了。

到我们家搬来南海，该我满街走的时候，名人街胜景已经不再。土街上还有晒太阳老头儿，都是本地住家。我们大姐，就我老送柴那家本镇最大客店老板娘，龅牙嫂，小时候参加过聊天的，南腔北调跟我讲：都死绝了，老婆给人领走了，子弟流落民间了。换你也要争着死，前半世皇上家就是自个儿家，后半世靠我家窗根底下晒太阳。朝廷最近也不出事了，很想他们呀，平常哪见得着啊?

龅牙嫂双颊凹陷。自称是秦人之后，秦末避乱，先人迁来岭南，是祖上的面相。

就跟谁不是北人来过?龅牙嫂一聊这个就倍儿快乐。不过倒霉你们先罢了。

我一在广东搞人口统计的朋友跟我说：历代王朝历代名门大姓的后人，北方血脉可能没有了，广东都有线索。如果你是个势利的人，在广东山野地方遇见一个正在耕作或荷担行路的老人家，你要客气。他或她的先人可能是大贵族，可能是大将军，可能是一代帝王，统治过中原。如果你不是个势利的人，那你见谁都客气。一句话，到了广东，要客气。

10．我爸爸从陕西还是河南——甭管是哪儿吧，拿脚一步步量过黄淮，量过长江，量过五岭，到了韶关以为到了，还往南；到了广州以为到了，还往南；到了南海总该到了吧？还往南。进了新州安置地一头扎入指定居住的草房，从此没挪窝。我妈说他，骄傲。听说遇到旧识，开了他句玩笑：很像渔民嘛。从此连本地北方客圈子也不进了。

走那天——光我和我妈，地基还是这个地基，房顶已不是那个房顶，墙——传说中那四堵煞黄的土墙，从没见过，好些年前就被南中国海吹来的热风热雨射成蜂窝，射成筛子，射成泥，冲回街上，复原为门前的坡，街上的土。只许我用一个词描述新州的家，我会说“棚子”。代替墙挂在四周的草席风一吹都成帘子了，坐屋里瞧街上清楚着呢。为什么我不怕雨呢？打我进这个世界，广东下的每一场雨我没错过，都给轮着了。

北方抱来的几身衣裳越穿越露肉，都成穗儿了，都成布丝了，都成穿针引线的线了。我到那天，我是没打算穿衣服，一瞧我爸我妈，也光膀子，头发盖脚面，立得倍儿稳，脚指头倍儿夸张，一排摁地上跟地板是琴似的，之间宽得就差长蹼了。天天光脚上山下河，经常身无立锥之地，全夸开不是扒得稳，长了蹼一脚蹬得远吗？黑，油赤麻黑，紫檀不算什么，天黑不点灯就找不着人，两排牙在我上下晃动，一翻白眼找见一个。

打小我就不愿意见天黑，在婴儿的我看来那不是天黑，是爸妈消失。灯一吹，爸妈就把自己变没了。两位睡觉还特轻，没呼吸。外面风生水起，虎啸猿啼，那时我就觉得这世界一个人都没有，就不大明白我上这儿干吗来。显然前来接头的一男一女不是在等我，见到我，他们也挺突然的，暗号全忘了，根本就没对，那任务呢？我可能莽撞了，我可能大意了，我可能干了件我最不愿意干的事，给别人添了麻烦。

我三岁一天夜里，一晚上漆黑。天亮了，忽然闻着一股恶臭，父亲就去世了。

恶臭一直有，一直以为是我拉的，不能有意见。忽然恶臭翻倍，室温升高，热臭加倍，就说明有大量新鲜粪分子在剧烈活动，交换能量，产生热，推动自己迈向更活跃，更便于发酵，更便于化合排出。这一般应该是发生直肠里的活动，怎么进行到外边——光合之下了？肯定不是我，因为我很好。——这就是要出事。

父亲是腹泻死的。这是我的推断——现在回想，当时现场很乱，我们家那棚子进来好多只脚，我躺在地上，被踢来踢去，像只拖鞋。他们往外抬人，过来一脚后跟就把我外顶一下，最后我都出门了，我都到一线天了，下面就是大街。这时我妈喊：你还不起来，你睡死了！我才真醒了，才爬起来，我三岁了，可以自个儿站街上了。

我们家后面就是河，绿的，渴了就拿碗上那儿舀一碗。这我都让别的小孩笑话，别人都是趴那儿撅着嘴忒儿喽。烧开水，喝茶，太讲究了。别人也拉肚子，别人也会拉死，别人都不埋怨水。拉肚子很普遍，拉死也很普遍，人们普遍观念都不认为是病，是吃饭没吃好吃死的，一般都这么说。很长的年代，人们最大的死因是被别人活活打死，吃饭没吃对，拉至死，很不幸吗？差不多可算正常死亡。我曾问过一个医生，为什么过去很少癌症，是环境恶化了吗？这位医生说：过去人等不到得癌，就痢疾肺结核其他肠道传染病死了。你应该知道呀，释迦牟尼就是拉肚子去世的。腹泻至今还是不发达地区婴儿死亡率中最大死因。黄连素是最早为西医承认列入西药的一味中药——还是唯一吗?

父亲过了五岭就没拉过干的，吃粟米拉粟米羹，吃鱼拉鱼露，吃虾拉虾酱。——有人反感吗？谁没有肛门请出去。如果谁认为这世界有些事只能做不能说，只能按你喜欢、合你胃口方式说，恕难从命。

就剩一张人皮了！就剩一副骨头架子了！远处看还以为一件雨衣。邻居明白人还聊呢：水土不服。

我妈一只手指着雨衣说：喊老豆，老豆。

然后我就把这一切忘了。

11．根据回忆，我是自个儿长大的，一个人在社会上进进出出，独自住在街边一个棚子里，演坚强的小孩。没穿过四只袖全的衣裳，嘴上长出胡茬儿前我一直管衣服叫带儿。好像也不怎么吃饭，完全没有碗的印象，好像就那么每天坐着，屋前窗后转转，喝点河里的绿水，晒晒太阳，就长个了。我从不觉得植物有什么了不起。刚会逛街的时候我还以为那些有爸的小孩，他们家开单人旅馆，他妈是服务员呢。但是，没爸可以。几百万年，从猿到直立人，到母系社会，谁也没爸。爸不是一个小崽长大必需的条件。最多是生活不好呗。

我妈，还不熟的时候，我猜她是个贼，每天晚上溜我们家来偷饭吃。几次我半夜醒来，发现屋里有黑影在吃东西，真吓着我了。有一次我用一整天在屋内刨坑，都挖出地下水了，黑影晚上进来，都听见她咚咚喝水拍起来的水花溅我一身，黑影一声没言语，爬出来依然蹑手蹑脚，天亮地上还留着湿脚印。后来，我知道她是鬼，从前住在这间棚子的人。再后来邻居都喊她是我妈，我才懂妈是贴小孩家门板后的门神，专门跟小孩瞪眼的。现在想我妈新州画面，都是瞪着我一言不发大怒。我不想知道是我惹她生气，还是她跟别人那儿受了气。

每天黄鹂开始吹华丽口哨，她就到边防军营房给单身士兵洗衣服，缝缝连连。那些兵给她从部队伙房拿点粟米、旧军装和袭扰边民抢夺的竹罐竹碗作报酬。——我的第一件衣裳就是刷得如同蚊帐的军白蜀衫。每天猿开始悲鸣，狼开始嗥月，她往回走，一路都是大如雀卵的星斗。

新州的夜像蓝孔雀开屏。月亮像一挑忘在树丛上的纸灯笼。新州那时还是热带丛林中一个军事要塞，是汉獠杂居地带。唐帝国势力南进的最前沿。除了军人，流放犯，行脚商，很少中原人。我家那条街就叫唐人街。出了街，就是长臂猿荡来荡去的四望无尽的原始丛林。丛林中住着土著部落，经常出来跟我们进行实物交换。我们不会讲当地人的话。我们讲的差一点就是现在的广东白话，当时的中原话。当地人叫官话。当地土著具有马来人种特征，个子矮小，黑皮肤，趴鼻子，厚嘴唇，龅牙，披散头发，一个部落叫一个獠洞，狩猎为生，结绳记事。一些和唐人来往较多的獠洞开始刀耕火种。我们叫他们獠民。掠去北方为奴的称昆仑奴。

我妈是山东青州人，我姥爷征辽东——就是高丽，没回来。也许留那儿当唐奴了。也许闻鼙鼓而振奋首登敌城一扭脸梯子掉了被人摁那儿剁了。没人知道。反正生不见人，死不见尸，国家就以逃兵论处，妻子儿女抄没官府为奴。那会儿政策真缺德。我妈在长安教坊学习舞蹈和琵琶，一次春季嘉年华认识了我爸，我爸那时刚由河北入长安，少年得志，我妈以为找到了归宿，没想这一孟浪扎得更远，到了南尽头。我妈不能看海，天太蓝都犯恶心。她生气咒人最狠的话就是：赶明儿丢海里去。

也不知我妈天生不爱说话还是不想说话，还是无话可说，她不说，我也不说，净在心里跟自己说了。

我们唐人街，基本是竹子的。夏天一片绿，冬天一片黄，吃木耳不用出门，采蘑菇的小姑娘永远跟家待着，有人一辈子没住过砖。深夜能听见雪熊在竹林里劈劈啪啪掰竹枝。獠民渡河，竹林子里扛一排竹竿竹枝竹叶互相多打几个结，抱胸脯上往水里一扑，就是筏子。冬天不在街四周放把火，老藤根蔓春天就能爬进街绊人绊马，把房子勒倒。笋柱经常顶穿卧室铺席你正睡着就拱出来，大便不低头很可能被扎破。懒人不必动手，野凤梨野芭蕉自动就在你家周围站成院墙。我要说鼎湖上素是我家河对岸一位大猩猩发明的你们信吗？一次我猩红热传染我妈了，我和我妈发高烧躺家里一春天没出门，家里一口粮食没有，喝天上的雨吃地上的蘑菇春笋和黄连，出来人是绿的但是还活着。

热度攀高那几天，我觉得我没在这儿，去了另外一个地方。也不是这个时代，是任意飞翔的时代。不用说话，物和物一见，就知道对方的意思，所以十分安静。楼是巨大的，通天的，见首不见尾。北方皇宫太可怜了。树是巨大的，拔地的，越靠近越大，到了眼前，全是墙。我一进到那里思想就全换那边去了。实际上我在那儿就是整个回家过程。从一个很远的外地下来，心一下天青了。家乡没人。恍惚有人形，但是没地球人这么接触密的。我一天在飞，高飞浩瀚无边境海洋。景山随心思变，看似大地，是大地了；下降，大地斜一边去了；左转，一片树林子；全是水手蓝，盘子已经擦地面了。视野扩大，是转向；视野后退，又飞了。一直都在很高速中，但是远不虚，观很清晰。不时心底喜叹：原来是这家伙。远见一橙黄山谷，有巨大碟光。我就知道那是谁，我不说他的名字，人因他的名字争执不休，你们知道我说的是谁。一念前往。那光越来越大，由炭隐隐盆亮亮那样的闪到光彩焕然，至光彩烂烂，一路喜静的心，没来由起了皱儿——起了畏瑟。——畏惧即起，就是人了。橙光闪扇，闪橘红，闪光朵，朵朵晚霞照亮新州黄昏天下竹草棚席十分明亮。——我在堂皇的棚子里，好似在切开的橙子里睁着眼，看见晕——得晃。小声蔫哭。米！——米在哪里？

以人年轮论，我才四岁。人记事件要比附人间景况状物，要有命名，再起比兴。我对人间还很陌生，拿来要我一画也记不出。因为所见非人间所见，所想非人间所想，我就是一识字稿工人指认事物的字码也全数失效。那里没有一个神儿、坛儿、影儿、色儿，是被人指过的。百度之后，也许留下些印下去的景象，意识到的境界，在心底。印象抽象为印，有笔画，可以练字。抽印为象，象拉开就是底色，是为色相。至今色目后面有七八幅比较清楚悬挂着的。心思是方言的，对不上黄河的老阁图，只能拿广东话说喽，也不免挂一漏万。此是后话。

新州生活艰难，我妈也不愿意我为当地獠民所化，譬如不穿衣服，五岁就上山给老虎下套儿，六岁就开始性接触。父亲去世后，我妈得到官府的批准，可以在岭南道州县流动，就带着我来到南海。

12．我手能握住柴刀把，就去外面丛林砍柴，背到街上卖给些专为南来北往过客提供吃住歇脚的小客店。砍柴是个泡在汗水里的湿活儿。南海临江近海，湿气大，树枝饱含水分，极有韧性，刀就是一厚点的薄铁片，砍两下就卷了，滴上树汁不马上擦干，太阳一晒就生锈。我经常为一枝木将一棵树砍得皮开肉绽。我走过的林子，树树开放稀烂菊花，日后经过株株结碗大的疤。有时树林里还有一只动物，我走它也走，我这边没声音，它那边也没声音，我们俩就比谁更安静，阳光忽然一暗，可能是一块云，可能是一阵雨，也可能是什么东西跃过去了。

南海的原野平川苍郁得像深渊，云的影子上面飞，像一只流窜的墨镜。丛林密布丘陵肥胖活泼，一抱一抱直到拖住天上蓝的裙边。胖绿中一块斑秃，一坨红土雕刻，一缸昏暗的盆景，就是人住的庄子。有一次山中走得深了，一低头看见海，一大块扯天扯地抖来抖去的灰蓝。大口吞下大地，又一口口吐出来，咬出一地地牙印，留下一道道涎水。

背湿柴可是一技术活，要临危搁一高台上，都捆实了，自个儿下面蹲住了，运足了气，一腰接过来，迅雷不及腿抖将整驮重心送到眉心和地的垂直线——眼可朝下啊！过一点就栽过去，不到就往后坐，就仰八叉。

然后这重心就压着你向前冲，第一步迈出，一步不能停，一直冲，冲过田野，冲进土街，冲进龅牙嫂店家后厨。甭管多远，一十里二十里一百里，下刀子也不能停，皇上叫你也不能停，你们家孩子掉老虎嘴里也不能停，只要中途一停，背上那个压你向前的重心立即后仰，靠腰杆是拉不住的，只能渐渐仰面，无奈朝天，连柴带人一起垮地上。这时腿芯儿已经糠了，面条了，还不能马上站起来。起猛了，小腿肚子就要转筋。非起来也是那儿瞎抖，两腿罗圈着膝盖打拍子，大冬天刚从冰窟窿爬上来似的，牙都跟着打嘚嘚——行了，知道你是瓷的。眼珠子乱转，汗珠子甩得四外一片玻璃珠儿。抖得实在难受，我就哎哟哟——哎哟哟——喊会儿，解难受。

有一次，我喊掉一颗椰子，嗵一声掉水里了。

有一次，一只苍鹭飞着飞着，白了头。

有一天，我看着云的影子山一样向我倒来，雨像一群箭擦着我飞过去，就在前方不远，沸腾了，成水蒸气了，刚起飞的一群野鸭在空中都脱了毛，都熟了，赤条条地掉了一湖。

有一天，我瞄好一片桄榔林子翻山越岭走过去，快走到了，里面出来一只银背大猩猩，背着一捆柴，老游击队员一样看着我。我往回走，走几步回头，见银背大猩猩横着下岭，横着越壑，横着穿沟，一路单手扛柴凝视我。

我在西樵山中，看到一群狒狒搭着窝棚过日子，存了一窖芒果，黄灿灿的。我还说谁跟这儿存了一堆玉米呢。

我在崖上，看到沟里有一群野山羊在喝水，心想这回有奶喝了。骑着野藤往下滑，快到底了，一只红毛老狼蹲在下面望着我，我想问它几点了，又怕它答：你真想知道吗？只好一把一把拔回去。上了崖回头，见几只老狼赶着羊群向白云深处漫游而去。

一天我刚出家门，发现我们家成渔民了，周围一片玻璃汪洋，还不断有绿波浪涌来，大鱼都跟树上搁浅了，挤得鸟没地儿下脚。一帮河狸爬我们家房顶上东张西望，还伸小短手帮忙拉我们家鸡上去。我妈往窗外看了一眼就昏死过去。

一天，我决意要去海里洗把脸。走到半山，还听浪那儿拍呢，穿过林间雾，海没了。眼前是阴霾的平原，有棋盘河，有井字林，有几何田，有炊烟。我捡起块扁石向大平原砍去个水飘，就见那扁石在空中划出一道弧线，飘飘荡荡向一条大路落去。这时我心揪了起来，一个背弓箭袋和葫芦的大爷正骑着马在路上跑，扁石在他前方加速下降，看上去像双方赶着去碰头。扁石倏一下没了，大爷依然很潇洒，一只刚才还没有的黄鼠狼很痛苦地抱着脑袋垮在路上。

我走回半山，又听到涛声，看见海，巨块灰蓝一会儿倒下一会儿立起像在晾被单。海上还有船，赤裸的渔民在撒网，手中抛出一大把烂银针。一个黑黢黢的裸女扭着自己在波浪里一起一落行船。

有一天，我还看到飞碟。

13．天旋光散，我知道这是场大梦。每日拂晓天荔枝青我出门砍柴，就有字在我心里打：你觉得这地方跟你有关系吗？你不觉得你跟这地方说不上话吗？你不是这儿人。你只是因为一个你不知道的原因，偶然出现在这里，又因为一个你不知道的原因，把从前忘了，所以只能在这儿混着，苟且偷生。——将来，早晚有一天，你会想起来，你来自一个比这儿所有大都大，所有远都远，所有美都美，所有好都好，所有亲人都不会失去，所有难过都不会发生，没有遗憾——不许遗憾！大家都很好，都还在！所有时光都不会过去，都是现在时！——那样一个地方。——是的，我确信如果我来自某一个地方，有来处的话，一定比这里大好。否则我就不会在完全失去具体印象的情况下仍然从心灵深处怀念它。印象失去了，或者完全无法用人类语言表达。无法表达的就是不存在。这是这个世界的逻辑。——但是，好感残存。美感残存。无法指认，但是就是知道，自己来自美好。美好不是理想，是从来就有，是确实的存在，在没有人的地方，在人类但凡据以自傲，拥以自重，就无法达到的地方——存在。人类尽可以互相丑化。但是，人类没可能把你变丑。——不管你现在多么低贱，身上没有衣服，脚下没有鞋，不识字，是罪人和女奴的孩子，满面肮脏，遍体恶臭，没一个穿绸衣乘轿的人抬眼看过你，每日见到你的人都不知道你的名字，连山林里的野兽都躲着你走，你在这个世上没有同伴，没有朋友，没一个可以交谈的人——但是，就是全世界的人都把你踩在脚下，全世界的人都鄙弃你，把你视作粪土，你还是你，你心里的美，心里的好——依旧。

——那里一定是大的，要保存美好必须大，丑说到底还是因为小，要踩着别人，试试看，在银河系这么大空间只放上一个人？——要久远，如果不限时间，问题都能解决，谁也跑不了，都要站自己的行为前被后果瞪着，一天不解决，一天站在那儿挨瞪，所有的错过都能弥补，所有的相遇都可以重来，所有的丧尽都可以挽回，所有背叛都能重回头，所有罪人都会爬出地狱上来，都闹累了，你恨这个世界一百万年了，痛苦一百万年了，还要痛苦下去吗？不要什么人头老是一帮新人从头再砍，大，足以使所有壮烈沦为寂寞，远，你就是一百年不做一件好事，也有等到你为每一个人都做过十件好事那一天，再过十个这么多年，每个人都欠每个人太多情了。

我扛着柴刀麻绳往山林走，忍不住放声大哭，确信自己不是来自地狱，那感觉真好，又悲伤，所以哭——边走边掉眼泪，不知道的人还以为我不爱劳动呢。

那声音继续说：——到那时，你必离开这里，回到你原来的地方，生不能忆起，死之刹那就是全部想起的当刻，是约期，归期，收拾起一地狼藉，约好光，星河问路好回家的日子。好好瞧瞧这风景，不见会疯吗？山水再美，你其实无动于衷。你见过什么才是最美。你心里知道跟这地方永远亲不了。是，这一带山水很旺，给点阳光就疯长，石头刮下一层都能吃，泥里也能爬出蛋白质，西南风都比其他地方油腥大，是吃鲜的领袖，喝汤的冠军，如果你为吃来，正是英雄用胃的地方——也不算冤。但是，你是为吃来吗？如果你此来，就为瞧瞧一地风景，哪儿的树枝高，哪儿的树枝密，眼睛倍儿亮，爪子倍儿刁，牙倍儿快，满地跑的，满天飞的，满海游的，谁的肉嫩都知道——你为什么不直接当老鹰呢？

——我可以不知道我是谁，但我必须知道我不是谁——我不是老鹰。几次我走不动了，一手摁着肋下，弯腰坐石头上打嗝儿，哭得我肝儿疼。

然后我就忘了。

14．天荔枝白，我钻进密林，爬一天树，抡一天胳膊，洗一天桑拿，水分全走皮肤了，每天趴沟底喝光一条小河水，还是一滴尿没有，大脑一张白纸，一次写一个大字：热、累、麻、饿。

天荔枝红，我驮着一座小山高的树枝风车一样冲下山，冲过田野，每迈一步就离人烟近一步，大脑纯白，一个字都没有。枝尖叶芒刺入我的后背，刺入我的肩头，刺入我的颈，刺进我的头。阳光如蜂蜇疼了我，无数小绒爪子在爬，在蠕行，在抠，在上下，上入发际，下至额前，至眉间，至睫毛——还揪尖呢！小身子吊半空，两排节肢紧忙——我都瞧见了！一头油汗甩地上，滴溜溜乱滚，每颗抱着小飞虫，跟活琥珀似的。

这时的我，就是一个文盲，沉默，像马一样强壮，只知砍山吃饭，吃饱饭。假使这时你好心拦住我，告诉我不是我，我只是披了张打柴人的皮，真正的我很古老。要给我一个惊喜。请恕乡野之民无礼。我完全听不懂你在说什么。我连一个眼神都不会给你。

15．我在西樵山，看了五千五百次日出，无端难过了五千五百次，破晓醒来心坎处处哀伤，日暮山中归来浑然已忘，不知阳光有快车，长空有手势，白云在绘山，白云在绘路，白云在绘山川万物，顽石有忆，苍苔有想，游鱼无非前儿女，飞鸟尽是旧情人，春风吹开万年历，秋雨降下千秋寒，闪电暴露前朝事，雷鸣都是旧消息，远星参商古渡口，新酒从来不新鲜，地平线上生面孔，地球一轮新组合，浑天疯转终不转，沧海狂蒸到底干，从流窜到淌，到翠微，三十六亿五千万次日落走一趟，不是什么都没见过，而是什么都见过，什么都失去了——明白了，但是一扭脸，忘了。蓝天有指示，蓝天画得很清楚，但是一低头，只顾哭，哭得肝疼，哭谁，不曾记得。

我痛哭走过的山路，每滴洒下的泪都变成一孔新涌出来的泉眼，像一颗颗新掏出来的心，突突跳动。水稻扬花就养虾了，水稻葱茏就改绕山溪了，水稻黄了就发山洪了，我都得变道了。我打塘前过，太公太婆都拦：麻烦您多走两步。

新一年，祭过鬼神，云就回乡了，天天红太阳和瓦蓝，山上的木棉沉不住气提前开花了。驴马交配过，太阳身子越来越重，越来越沉，眼见——通红。没人跟家炒粉儿了，都拿外边铁锹上扒拉。住得高的人家索性把家里米都焖成饭，没辙，你搁着也是熟。村里好几家池塘夜里都开锅了，都成鱼汤了，鲜味熏得人夜里睡不着觉。山头天天着火，人都不干活了，约着上鼎湖山吃烧烤。老狗熊老山猪躺在地上冒烟，蟒蛇一捆一捆绕满枝头成晾熏肠了。黑豹、黑狐、黑鹿、黑狼、瞪羚，交叉错愕站在四周，至骨酥至里嫩保持着飞奔的姿势。猴子狒狒纷纷钻进山下人家冒充小孩。大白天就见一群群动物公然下水游泳，露着一眼一眼鼻子横渡江河。日落，湖里的鱼经常像喷泉一样喷出来，黄暖的水面陡然竖起一道白光抖擞势如出枪的簌簌鱼柱。鼹鼠、地獭都从土洞钻出来，站在石头上望鹰。鹰几次俯冲都被热气流颤笃笃、稳当当承住了，头朝下奓着翅膀定在空中，飞过的天鹅都笑。

冰河期幸存下来的雪熊就是在那年燎成哀伤的熊猫，开始向四川转移。龙虾无法抗拒进化本能，又一次企图向恐龙——至少是蜥蜴——突变，趁月圆涨潮在崖门、斗门、澳门一线各海滩抢滩，螃蟹全被踩塌了，海龟一见赶紧戴钢盔，一夜强行军，爬得最远的已经进了我们村，上了我床前窗，见到第一道晨曦，都扒窗上红了。日出之后，从江门到台山，铺了一条红瓦大路，海鸥飞翔。倒是环太平洋暖流追随龙虾最后一波登陆的几只海豹，悄悄潜入西江，一路潜游，入泗罗河，再入流江，在广西玉林进了六万大山，很多年之后有人看见它们在喜马拉雅之巅出现，已变成目光锐利的雪豹。

木棉花未谢就一朵朵焦在枝头，犹如铁画。山野林田一派北方金秋的黄。有老流放犯，看见这片黄就疯了。部队的北方兵这两天开小差的也偏多。老人都说：这黄邪性啊，开粤以来不曾有闻。鸭不进食了，围着砧板转，人一进来就双掌一握鸭嘴一歪躺地上。谁家来了黄鼠狼，村里的鸡都去围观，把黄鼠狼堵墙角，个个昂着脖子傲慢的样子，黄鼠狼都气疯了。猪已经默默撞墙自尽好几位了。人畜关系恶化，屠户房上日夜都有狗窥探。行人带弓，一路都有鹅追赶。部队演操出现非战斗减员，战马一出营就长嘶直奔崖畔。

官府公告百姓，凡亮的银器都得捂上。妇女头面首饰出门须摘了。严禁坐屋里照镜子。太阳太红，柴草太干，稍有反光，就是阳燧，必有一场烈焰。一江边人家，妇女切菜，忘了关窗户，一根芹菜还没切完，江上运香油的船着了。一游侠遇见另一游侠，二人原是冤家，一辈子互相躲，结果躲一块儿去了，前后脚被龅牙嫂接家去住店。住稳了都上茅房，一个刚进来，一个正蹲着。正蹲着的头一低，刚进来的没想到。刚进来大背剑，低头捞起腰间披挂，骑马蹲裆，正要全心向下，只听刺啦一声，眼前一颗人头两条白腿，极其流体，极其符合空气动力学，横陈出厕，两只粉红脚丫在后舞得如同两只小风扇，出门后，立即引体向上不见了。再瞧原坑，两只草鞋还在，一条扯撕的黄丝裤一腿蘸屎里一委萎靡色情地吊坑沿儿上，可见来不及提，可见用心之深。顿时屎意全无，抱剑在手，机警而出，走进阳光，人头回放，恍若肖像，当场惊呆，惶悚四顾，心头忙乱，如撞小猫，青天白日，如陷迷阵，街门大口，竟如虎口——定在候着！正没个解处，只听一声壮吼：别个闪开！只见一驮柴下面长脚，马不停蹄进来，一阵风奔往后院凤梨夹道，刚进来顾不得多想，按剑拧腰小碎步紧跟而去。

凤梨夹道尽头正是厨房，我猛转身，倾金山倒玉柱背摔式卸柴，却惊见面前立一枯瘦汉子没来由抽出寒亮长剑，眼睛是疯的。剑影所至都是高速摄影，一格一格落下。我在地上只喊出你没事吧的“你……”，汉子身后油缸霍地站起一红娘子，红娘子伸展妖娆红胳膊将汉子一把搂过去。——剑锋已抵我鼻尖，一瞬间违反了所有力学定律，以不可思议的轻盈胡乱舞了回去。刚进来两脚熊熊踏烈火，浑身闪闪披彩虹，晶莹一跃，犹如苹果拔丝，手中剑已是一把匕首挑着一撅山楂糕。

又听凤梨丛外群众一片惊呼：满山木棉又开花了！

一滴人油啪！烫凤梨上，梨皮起泡，啪！啪！连环起泡，从此凤梨就跟手雷似的。

那一年，山上的木棉开了两次，木棉花开红似火。我看到一条好汉，一剑走天下，躺下看，生动活泼，站起看，已蜷缩为一团漆黑胎儿。他的冤家站在凤梨树下哭他。一个人由眉清目秀至一股烟，满山的木棉花还没谢呢。

16．一日迟暮，我爸一旧相识，从我家门前过，见我正当街扭角扳倒一只蛮牛，对我妈说：你应该让他认几个字。我妈坚决摇头：不认！就是不认！老伯蹒跚走出几步，一张瘪嘴嚼了半天，回头露出黑洞：认字还是好的……

我妈笑着站起来赶着拍蒲扇：接着说，往下说，什么好，怎么好？

老伯背手去了。

我妈在后面说：滚蛋！

木棉花开两次那年，乡亲们在干裂的河床上拷打江庙里的龙王。我在岸上看。忽见乡亲们回头指指戳戳冲我来了，领头的是从前不让我从他家塘前过的太公，本来很矮一群人，走到近前，纷纷膝盖中箭，掀起一行行人浪下跪，复矬为蝇蝇蠕动一地麻点。我完全不明白这是要干吗，光在那儿笑、喊、跳，逗他们。那天风很大，岸上岸下互相说什么都被风刮走了，手势越丰富越像在演哑剧。我听自己也像从嗓子眼放鸽子，一出来就成天上一鸽哨了。

我妈扑过来给我一巴掌，拉上我就走。太公和乡亲们沿河床追着我下跪，磕头如捣蒜，口中念念有词，样子极其辛酸。我还时而顾盼。我妈头也不回，扣住我的五指如同手铐，特别是正掐我脉搏的大拇哥，完全阻断了手掌的血液循环，回到家，锁上门，我手已经黑紫，肿得像只涂了柏油的垒球手套。

我妈喘了猞猁爬上一棵槟榔树的工夫，对我说：官急了，举茶，百姓急了，下跪，心里都是想到翻脸了，就看这最后一念了，放下茶碗再起来就要杀人。还笑！人冲你跪，你就离死不远了。

我去求法临走那一晚，问我妈：您还有什么要说的？她一晚上光流泪，老是道歉：很抱歉把你带到这个世上来。很抱歉把你带到这个世上来。我说您还有什么要吩咐的？她昂首想了半天，说：你要好了，想着度我。

17. 龅牙嫂坐在街上说，前村泥塘有广州商人冒热死中午赶路捡着一只红犀牛。皮赠北方军人作甲了。北方军人升将军了，皇上要他西路行军，将军披甲踏破天山，弯弓射月不中死在哈萨克斯坦了。大食牧人展开牛皮赠给波斯海员作帆了，波斯船满载乳香扬帆下海了，红帆船开来广州，牛皮帆越刮越响，快靠岸，沉了。

商人怀揣一只犀角回家，在家门口开了间中药铺子，犀角不卖挂墙上镇店，很快做成东南亚最大间。跟着开了间珍珠铺子，海里的蚌一听他名字都吐珠。跟着开了间象牙铺子，大象从此远走泰缅边境。跟着开了间香料铺子，犀角夜夜墙上呜呜，跟着号角踮脚，看见一湾波斯船，明白了！跟着上了一条波斯船——看产地。跟着见蓝，跟着见光，跟着见大光大晃，全地球都在晃。全是蓝，全是亮，全是闪光，全是十层楼高，但是，说话就百丈楼低！说话就在全楼最高——窗台边上！全是一座山高，一座望着一座高，一山不比一山软，但是，说话就在最底层！——就在浪尖上！全是蓝山。全是黑山。全是不蓝不黑，黑中带亮，黑中带腥，黑中带闪光，黑中带哆嗦，黑中带可疑。这是行船吗？这不就是一趟一趟，把人连船往天上扔吗？

再见到黄，沙丘如美人长腿侧卧，椰枣如美人仨俩沐浴，唐军战俘拴在树下造纸。纸如蝉翼，纸如纱衣，蝉鸣失忆，愿闻海螺，纱衣失落，唯有赤裸；赤裸如墨，赤裸如漆，去年射人，今生被锁，生生世世，不见故国。那边骆驼羊群帐篷脚铃，急鼓促弦奶香流蜜处，有昔日军中歌伎，如今犹作帐下舞，一曲歌罢匆匆掩面而出，尽除金簪披膻毡，分明女奴。女奴形黯，女奴沧桑，女奴去养蚕——蚕都死了，女奴宛转鞭下死。

再见红牛皮，有点像坐垫——被一放骆驼人铺黄沙上枕着呢。必须激动，如见故人——咱们回家。必须当人心，展着回去，跟角团圆。——装上乳香，装上没药，装上麦加膏，装上印度水晶球，装上拜占庭赤玻璃绿玻璃，装上大马士革钢的秘方，装上一本《传道书》，装上一本《大福音》，一路吹着回来！风太大，浪太急，牛皮呱呱叫，牛皮已经吹足，牛皮近乎透明，已经看见岸，看见龙虾海豹联合登陆，一丝微风，牛皮吹弹得——噗，破了。

眼见帆成旗了，眼见船停了，眼见起楼了，眼见楼塌了，眼见黄一线没了，眼见黑山联黑山匍匐前进来了，天歪了，地全体起立，全海洋的浪拿手那么一送，坐水炮——去了。

《传道书》说：我见日光之下所做一切事，都是虚空。

《大福音》说：天国浩瀚无边，没有一个天使到过那里。

我只能跟你们说：水倍儿沉。龅牙嫂说。

18．那天和往常一样，我天荔枝青上山砍柴，天广柑，太阳晒得泥地烫脚心，绿野冒蒸汽，就见远处燃起一道长长的黄尘，沿江官道上有一团团裹着纱的骑兵来往，下山就看见一家子一家子黄黄胖胖穿绸缎的人坐在路边休息。队前队尾有皇家差役拿着刀棍看管。蜜一样稠亮的西江水从他们头上推推挤挤流过去。我七世朋友带着去年相识的女朋友坐一只小船此时也在江上划过，他在船篷子里睡觉，我七世女儿穿着绢衣立在船头看风景。

那些差役吆喝的都是油腔滑调的新官话，发音已经和我们这里北方客讲的旧官话有了很大区别，语速快得像在哼歌。那些差役在那儿说操他大爷什么的，我一听就觉头皮散一圈电，就觉得讲话人中站着一个年轻时的我爸，刚给公家做事，刚出来闯荡，天很高，地很黄，道上净是扬灰，坐一次船，大江大河都过来了。——后背都感到亲切，就偷乐，就禁不住拿眼四下瞟。

我控着自己，放慢步，抖着小腿肚子，驮着柴，涉过坐卧道路两旁的长列人行。他，还有她，哼哼唧唧，嗯哪吧咂，飞进我耳朵都像音乐，像外语，冷不丁听懂一单词，心里咯噔亮一下。

北方人皮肤好晃眼，眼仁儿好亮，有栗子色的，有柚子黄，有菠萝蜜，一葡萄眼小孩竖手指我：嘿，野人他还会乐呢！

19．天，也就是眼皮上那道蓝。地，斑点太杂。一脚丫一脚丫往眼底奔，土纹都虚了，老是这五趾劈——不会是跑步机吧？对面也有来脚，一柱四喷的。来鞋，草编经纬，布织心印，皮子上一个一个都是汗毛孔——来靴。耳边，新官话穿梭旧官话，过一影儿，过去一串拨浪鼓，还是咣咣咣，还是堵了鼻孔捆了舌头牙根锔了银边似的。

老孙家，老叶家，油酱淋漓，生漆匝印，粥汤铺子——香！灯笼架子，膏药架子，粉皮架子，鲜鱼架子——腥！陶坊，硝池，沥坑，染厅——艳！打刀炉，打剑炉，弓箭庄，银器楼——晃眼！鹅蛋挑子——鹅本人！酒垆，烧腊旗——我们大姐那幌子！

房都满了，窗框子里都是人。墙影里，树影里，草影里，过道中，东一头西一头，横七竖八，摆的都是泥胎木刻的老太师低头，老太夫人秃顶，少官人白发，少夫人皴额，幼公子方颅——V下巴，M肩膀，W胸，X腿，N撮毛——不带胳肢窝的！衣袂扫地，裙带投泥，都歪那儿眯着了。

一进门，茅房外堵着一堆土猴儿似的子弟，有长身公子醉心冲着竹根滋。

二进门——有风吗？几个风中摇晃的豆芽姐姐挡在我也曾小心浇灌的那株芭蕉前，一行凤梨树下排队的饼脸少女轮流进去轮流出来。——眼见芭蕉叶子就黄了。—— 一小妞从人堆里挤出来眼睛跟狸猫似的。

累累凤梨尽头，一大个子男人驼着肩跟龅牙嫂讲话：羊没有，面有吗？

我们大姐那儿跟他装傻，问什么都摇手——顺手一拉他，给我让道儿。

我猛转身，猛看见天，连人带柴坐地上——才看见大个子男人一团圆脸，一挺翘鼻子，两粒温和湿润的定睛目，一头圈圈卷发，若穿上白袍，拄根金杖，仰头望天，活脱海滩上赤赤绿绿碎玻璃，拼起来的人。

大个子男人挺起肩双手抓自己钢丝般的卷发：连碗羊肉烩面都吃不上，真是到了绝地。

一边又斜着眼睛，一点也不抱希望地问：葡萄酒——你们这儿更没有了吧？

20．我七世女儿来伙房要热水，站在窗外喊人，我正蹲在屋内窗根吃一瓦盆龙虾刺身。我完全认为这就是放了盐的荔枝。龅牙嫂应了一声：一会儿送去，你几号房？然后问我：你走的时候能帮我顺手带桶水出去吗？我说咱们谁跟谁呀？蹭一下我就站起来了！我七世女儿只剩一裙角，一拐弯没了。迎面走出几个挎刀的本地衙门公人，领头的小个，虎毛鞭子挑食指上，一走一晃鞭。

你干吗呀？龅牙嫂正看窗外，牙差点磕我天灵盖上。不带这么一惊一炸的。

我也不知道我为什么站起来，我也很茫然，低头看手里还端着那盆很有弹性的蛋白组织，嘴里还有一口，又恢复嚼，蹲下，继续用手指夹着吃。忽一口咬着自个儿了，合牙闭眼捂着腮帮子忍，等疼过去。

外面有人叫龅牙嫂，龅牙嫂出去和来人嘀嘀咕咕了好一会儿，回来很不高兴，黑着脸：干吗非在我这儿啊？早怎么不想清楚啊，人都出来万里了，又想起来了。——我这儿成什么了？

又赶着往木桶里舀粥，打满一桶叫小二拎出去一桶。忙着给找碗找筷子，剁咸鱼。

我拎桶往前院去，脚下躲着晃出来的热水，穿门出墙，所见之人都蹲阴影里喝粥，一片和勒声，男女老少都很专注，眼睛在碗里。迎面树丛下一个姑娘已经面朝里接着睡了，空碗放在肩胛骨旁。一个小点的姑娘问我：哎，你那儿还是粥吗？旁边一个大的使劲给了她一肘，小姑娘马上低头。

前院很平静，公人还没走，几匹屁股上打着公家烙印的马拴在树下，低着一头鬃拣地上草棍儿吃。客房窗板都半掩半放，挡太阳的影子。里边似乎都有人，但都没什么动静，只听有人偶尔起身，竹床一下轻松了，哎呀叫一声；人重新坐下，竹床一声钝劈。碗突然碰碟了。条儿被挪了一步。一间屋轰然一堆人笑了。两步之内，那屋极其混乱，十人以上同时大说大笑，还有笑呛的，卡着喉咙剧咳，发出哀鸣。我第三步左脚落地，右脚将抬，那屋又一齐静了。

走过半放下的窗板，见一帮北方下来的差官在安静地喝东西，不知是酒还是茶，听一个本地公人晃着食指轻声轻气讲什么，讲话的小个一脸得意：那就不是我说了……

小个公人陡横出窗外一道冷眼。

我紧走两步，热水多晃起一圈。身后有人说：这世上形形色色都是太阳投下的影子，神鬼相貌出自妄想。

声音太近，声音太熟，我不由分神，肩没动，手劲儿已经卸了，悠起的那铺水荡出沿儿，浇下来，初刹只是觉得前脚被毫无分量地砸了一下，次瞬开始增厚，开始穿毛袜子，当瞬间变成平时，毛都成针，竖起来飞，飞出一片虚线松林，低头看，皮已被照亮，脂里点着一盏红灯，强烈打光。我是倒吸一口长气，我是立即闭眼，但我手没松桶，牙没露气儿，挺在那儿，只是一只脚不在了，换作一筒热铅沿膝盖举着摁，一喷灌进太阳穴，变成小人儿，拍手拍手挽两个花。——反身一猛子扎下，轰炸脚面。

这时，天上响起闷雷，满墙花影匆匆下撤，整个地面的暗往一块儿聚。远风吹来，又腥又湿，打身上这么一扫，一裹，再抽开，腾空而去，一阵清凉。

我身旁窗子哐啷一声掀开，我七世女儿一手撑着窗板，探出一张年轻、喜悦的脸，一双闪闪笑眼仰望着天上赤黑翻滚的浓云，露一排小白牙，一语不出，就那么笑望着。

窗里人说：以为自我真实，自我与众不同，自我是这具美好身体——是此刻正在痛苦的思念，认定这个自我强大——势必在这个世界拓下印记，都是想象。放下一切执着的想象，就叫觉悟——佛。

——这一刻，我已经呆了。大雨刷一声落下，世界立刻一片银亮，院里蹲着的人各自抱头鼠窜，暴雨如同万人在喊。

我脸，眼——睛！身上的疼，被急雨打着，世界就是源源不绝，自天而降的一捆捆水柱，全捶我脸上，全抽我脸。我看不清对面，犹如盲人。

我弯着腰提着桶在大雨里团团转，第一次白日将尽想起夜里的难过。无数的难过，无数的对不起。心都碎了。又欣喜。可别再忘了。

这时，我七世女儿在窗内也哭成泪人。我七世朋友手执一卷薄书出现在她身旁：你忧郁症又犯了？她指着我：那个人太可怜了。——送水的，水都凉了。接着扑哧一下又乐。

七世朋友看到我对着一面墙正要敲墙，也乐。喊：门在这儿呢。

七世女儿说：喊了，听不见。

我手触墙惊觉不对。一只手过来扯我：这儿呢。

我听到刚才在我耳边说话的声音，和一只暖手。于是跟着这只手挪步子，手上一轻，桶被接走了，头上没雨了，一股房间气扑上脸，眼前一暗，一间客房的轮廓渐显：一个书生装束的男子把水桶放地下，刚才开窗的小女子臊眉搭眼地瞅着我，使劲扭自己的手。

书生问她：你怎么了？

小女子低头不吭声，嘴一撇一撇就要哭。

小女子一只眼皮单一只眼皮双，嘴角一撇扯下来的脸蛋。我一见心口鼻口涨热流，就不想活了。拔腿往外，一脚没提起来，身子扑出去，直挺挺拍门上，门开了，拍门口——长发先甩出，跟着眉眼出来，一脸搓泥里，不动了。其他房见雨停，出来看彩虹的人都吓一跳。小个公人一手按刀猫腰往这边看。

21．一直很仰慕能随时昏倒的女士，听到坏消息，无法操弄的局面，再睁眼已经是安后了。我从没那样的好运气，再狼狈，磕出脑浆子来了，闭眼装死，旁人都狠心看着。只能自己爬起来，一点点收拾。杀手进屋，有人能喊，我喊也不喊出声，心里干着急。我若被人干掉，一定是默默去世，不劳大驾捂嘴。至亲抽身而去，站在遗蜕前，只能演深沉无论如何也流不下泪，只是尴尬。要回家独处分秒越长越难过。大祸临头，人果然进来了，第一反应是笑，心情还是怕人家以为我不正经。祸前焦虑，祸没至，人半疯。祸至，平静得跟鬼似的。——我就是根据这些特征认出我女儿。我一见这个女子就觉得胸板咔嗒——自动放下来了。很多世，她做了别人女儿——七世不是连着的。只要我在人海中遇到她，胸板咔嗒——自动放下。

也不仅如此，我们的性质，注定是要无比紧致的，要携手，才稳得住，才谈得上有性质。在无量劫前，我孤现这边，第一个冲过我身边的就是她，一把拉住她的手，把她化为我的共同部分。我们穿浴烈火，在一个个星球溅落，共同经历无比沉重的压缩，抗拒一瞬瞬无情压入我们手心的整个星球重量。共同经受连环核鞭打，忍不住放了手，各自跌入无尽虚空。我曾在亿万年黑暗中上下寻找她，只有找到她，我才完整，才有基础。我也曾和她并肩在一粒太空冰中沉睡，不知冰已化作雪花，飘飘摇摇降在一个蓝色新星上。蓝色新星上全是波涛，全是我朋友的眼睛，我在那时失去了她。

此刻我不用揣度她的感受，我的心情就是她的心情，我仓皇她也仓皇。我要流泪，她立刻脸别到一旁，说：别！

我朋友。七世也不是连着的。无论何国何地何世，只要我遇到他，他就帮我。甭管我当时什么境况，好还是不好，跟他挨得上挨不上。我就欠他。后来七世朋友做完了，他又做我三世妻子，我接着欠她。她就是最早接我的，然后送去我要去的地方，送上岸，卷回来，自己在后面呜咽。这世上必须有一双眼睛让我想起来就亏心。

22．席上一盏茶像是自动行走。我看到小女的手像一只香瓜。我欲言又止。小女一脸腼腆和不知所措。

潮湿从窗板上竹缝渗进来。坐在铺席上的人变得蜡黄。红的蜡烛苗使人的影子一下上了墙。外面雨又开始滴滴答答下。隔壁房有用水声。这情景好像往昔几番都有，在陌生国家陌生房间里，我正处于很糟糕的境地，甚至形势危难，出门死，外面有埋伏。同在房内的陌路男女，只一手动，一个眼神，顷刻让我聆受莫大宽慰，和欣然，再也不感到在这世上孤孤单单。我可能就放了他们，这一枪还就不开了。但是，不能晃我，以为能蒙了我。这会让我愤怒。我于往昔并不是只做善人。

我朋友说：你不能再在这儿混了——忒不是事！我给你指条明道儿，湖北黄梅东禅寺——你上那儿去。那是一禅宗道场，当今五祖宏忍大师坐堂主持，每日光吃饭和尚排队就千米开外，再往下，一万俗人在进香——大！据说是长江最大觉悟场。也不是说大就怎么着了，你想找人聊，找宏忍。你们俩能说到一块儿去。你不是口儿挺正的嘛，经上的话都是你平时琢磨的——你真惊着我了！让他听听你靠不靠谱——还是瞎琢磨！禅宗，五祖，宏忍大师，听说过吗？

我倒吸口凉气：——没！

跪地上拿牙签挑着一小瓶獾油往我脚上涂的小女惊慌问：疼了？

没事。我说。

这也没听说过？我朋友一指小女：我——和这位姑娘，去那儿治忧郁症。本来也是起哄，也没想有什么意思，赶上庙里法会，五祖为本寺和尚讲《金刚经》，外人想听也让听，我倒也正打算听听和尚怎么胡说，没想听下来竟觉大爽。不瞒你说，一山人就瞧我那狂笑不止，五祖几次停下来问：你什么情况？我说不关你事，我自个儿听得高兴。散会就有小和尚找我，送我这本经，说是五祖吩咐的，结个善缘。我在书中加了自己的见解和诠释——你听到的那些都是我改过的，不全是原话。——一路无事读诵，可以消暑。从山南道到岭南道，你头一个问我。

我说：敢情这是五祖的话。

嗨！我朋友怪我。——也不是我的话，也不是五祖的话，是佛一千年前在天竺舍卫国和弟子聊天，讲的话。

我朋友把石印《金刚经》小册子举到我眼前，说：佛祖，释迦牟尼，我不信你没听说过。

一臂跌回去：还闹着要去和人家胡乱交个朋友——人那儿是外国！

我不好意思：一千年前，外国人？怎么觉得是今天的人，就住海边，一个老人家，脸儿熟，前不久还见过。

我朋友吊我一眼，说：兄弟，张嘴儿就能这么亲，我不如你。我有个老哥哥，虽是道士，觉悟场事也略知一二，话说得让人爱听：礼佛不如亲佛，亲佛不如做佛。这个门里也不分好歹良贱。五祖在会上也劝出家人在家人：无论何人，只要一本《金刚经》在手，读进去了，劈头可见本来面目，直接了断成佛。——我看你行。

我还不好意思：听说过佛。释迦牟尼——不知道。我们这里乡下也能见到和尚。这家店老板娘，龅牙嫂，就信佛。家里人生病，捉鬼，都请和尚。一直想再要个儿子，屋里供个佛像，没事就到跟前烧炷香，一直以为是个神仙。——可以了，差不多，别那么仔细了。

小女依然低着头：马上。

我朋友单肘支地，基本就算靠墙上了：和尚也要吃饭，老板娘要太平，互相寻个温暖。我急了也烧香，急了也骂那些烧香人：见佛拜佛，心中无佛。

油涂完了，脚如烤鸭，小女窸窸窣窣走过我身后，不忍顾看。

你没瞎说吧，是人都可以成佛？我把烤鸭举起，轻轻放下。

嘁！我朋友一扬下巴：骗你干吗？那也不是别的，只是个觉悟。——你笑什么？

我朋友越过我往后笑：我也没说我行。

回头望我：你才还说得很靠谱呢，佛，就是一老朋友，比你我早生，身为王子，也不用挣命去——跟你似的！还是遇上烦恼，高低贵贱躲不开，只能坐下来，慢慢想这些烦恼——想通为止！一千年前——牛吧？一千年前你干吗呢？

我？我傻乐：没干吗。

我朋友坏笑，晃着眼神点我：你一定干了吗了，你跟周朝弄八卦呢——吧？

别听他乱喷。小女在我后背摁上一手指头。

我微往后靠，笑：没事。

还真不是乱喷！佛——他老人家从深可载动宇宙的沉思浮想

中起来。——我朋友说着也一挺脖起来，跪席子上。

——无非是要为天下众生，你、我、后来所有小生命，开启一个明白。他老人家第一个取消天堂，讲生命的归宿是寂灭，来世无有是处！第一个讲生命平等，大家都是一个源头来的，人如是，花鸟鱼虫也如是，他老人家也如是！自我无有是处！大家无有是处！吹牛逼无有是处！这是什么精神——昂？

我朋友说得快乐，拍手咧嘴大声鼓噪：这是国——

背后一声男中音断喝：就你知道！

我朋友一下嘴封了，一下脸红了，一下张皇了，一下机警了，握手坐下，默默端碗喝茶。

隔壁原来也有交谈。墙后有低音嘀哩咕噜一长串话，中音依然带怒：这都是废话，我不见诏书不从命。

我朋友拿上书，臀行凑近我，指书上的字，声音小到气声：你看这经上开篇说：凡所有一切有生命的东西，下蛋的、怀胎的、脏水滋生的、自个儿分裂的……我都指引它们了断思念进入无余寂灭，这样被我了断，结束思念的生命多得数也数不过来，可其实没一条生命被我了断，众生还在那里无尽思念，什么原因？

我也气声：什么原因？——众生自己不断，无人能代他断。

我朋友瞪我，哼了一声，把书塞我手里：书送你，你还是自己拿去看吧。——但是，这话还没说尽，众生啊众生，如来说没有众生，只有一个众生的名分。——我请问，你确实没读过别的什么经？

我说：大哥我不识字。

——气我？男中音声若含珠。

我朋友四肢撑腰起身，从容挽上头发，向我叉手作了个揖，又一言不发盘腿坐下。

——骂人？声若含痰。

我要起来还礼，已经晚了，半撅在席上，气声：大哥您这是干什么？

忽然隔壁木器掀倒，茶碗滚地，人撞墙，人再撞墙；人喘气，人喘不上气；绸子撕了，几条深喉咙一起呼哧带喘，吹着喉咙哨儿。

我朋友也不看我，回头盯着隔断不眨眼，一会儿眼圈竟红了。

哨喘中响起一岔得近乎女中音的男高音：你们他妈，又喘——有点新鲜的没有？

我朋友指着自己胸口，瞪着两只大眼，认真，细声细气说：我也只能说，各人自有，各人下场。我是喜佛，爱佛，做不成佛。也非还存什么心思，图取功名。什么都能舍，唯一个亲字舍不了。现在去做佛，只怕要坑几个人。老一点再说吧，该尽的都尽到了，千万不要再出事，再出事就难说了。

小女悄然自肩后问我：请问你娶亲了吗？家里还有什么人？

23．哦哦—— 一丝游气从嗓子眼里叫出来，被憋住，咕咕叫。

又透出一根针，过墙缝，穿进这边房间，拖着线轱辘上窗台，窗板关着，疲沓沓返回正在席子上进来退去的我和小女四只脚踝，吹着蔫哨儿，绕圈儿。

小女脚几次踩中我的脚。我退到哪儿，小女圆鼓鼓的手跟到哪儿，一次次拉我的握的拳。

我朋友说：你就从了吧。

你不欠我。我一低头，一锭遭到氧化半身乌黑的银元宝掉席子上，胖胖笨笨折了个跟头。小女咚咚走到墙角，两只脚一交叠，坐下了。

不给了！想要也不给了！我朋友咋呼着，弯腰拾起那锭元宝——手突然伸长搭我腕子上，强用力牵我双人舞一般团团转。

24．月光似铺盐，人人如冰棍，院子里站满手执灯笼低头肃立的带刀公人。从他们发髻的不同挽花和灯笼上拷的字看，州上，岭南道都来人了。一群身上绣着不同图腾，乌纱垂脑门的官儿，徒手站在那一间照得如同火焰山似的房前，似已全部催眠。火光中还见官儿队里站着一靴帽绚然的胖人，牵着几匹肥壮的五花马，鞍烂银镶绿松石，蹬磨得雪亮，为镏金。五花马通身流汗，喷着响鼻——只有马声音。

街上，也戳着横刀人——小个公人和本地其他公人。不远一个灯笼，不远一个灯笼，人笔直，地下投出斜长的黑影。镇子外，隐伏着兵阵，白军衣在月下变为紫蓝，队间容队，部中有曲，收旗息鼓，执刀提盾，幽灵般排在野地里。走出很远，还能看到兵阵在野地里幽幽发紫红。

25．我妈坐在窗前扬着脸，月光在她脸膛上层层流动，像是在给她镀锡。

我说：去看一个朋友。

我说：朋友住得远。

我从那锡铸的脸上看到我的鼻梁——我的唇吻。每当我猜测我们之间的血亲关系时，我就在这张日见松垮的脸上找到把我拓成人类的模子。我们俩不能聊天，一聊就岔，岔都岔不在一枝儿上。已然最后一面了，还是没话。她是我最不能在她跟前说实话的人。不能说实话的情况有几路：瞎话现在太重要了，瞎话人命关天，暂时就瞒你一个。二一路，都知道，都不爱说，都挺脏的，谁说谁叫假懂事。她是第三路，把梦话当醒话听了，按梦话过了一辈子，也活过来了，老来自我感觉还可以，如果聊，她就是梦本人。如今她那么安详，最微不足道的实话都嫌残忍。

我们俩都是不需要别人的人，别人净给添乱了。我妈挂嘴边一句话就是：我一人挺好的。她比我硬，多一个人不想认识。一辈子没朋友。

我一见她天灵盖就飞起一句挺事儿逼的话轰不走：爱，感觉不到，就不是。

在我们唐朝，我们岭南边疆，我们新州，原始和人和猿和猴同在一片蓝天下，生命不息生生不息，我打你，我追着你坚强！我有多快你比我还要快！我天天打你，让你学得快——我打死你，怕你成祸害！——是教练。慈，是盼你日后头一个被狼拖走。孝，是一家大猴不让小猴活。——是自私。人口不算寿命，靠年年生维持。三十就是老人了，老人和大象一个规矩，放屁夹不住了，就自己背上一小袋米走进丛林永远消失。——我们是那儿出来的，我们家没有父母在不远游、身体发肤受之父母什么什么之类的权力安排和伦常梯子。我和我妈，在心里，还是本着：自然法则就是道德。——这一条硬道理。

我妈当时，也就三十七八，已经觉得活够本了。这一晚，她到后半夜流了泪，说：很抱歉把你带到这个世上来。我把那锭银子拿出来，她说：很抱歉把你带到这个世上来。

26．现在想人间，能让我想起来光线如雨的，都是人齐的时候，父母年轻，孩子矮小，今天还在远方。穿什么衣服不重要。

好风水，就是该在的都能瞧得见。

一对人，生孩子，这是利己还是利他？给小孩一个机会，还是给自己一个机会？如果纯粹利他，我看就不必了——小孩要来谁都可以让他来。如果利己，更想给自己一个机会，吹捧母爱，就不必了。养儿防老，孰不道德，是克隆生物奴隶。

如果是意外——我看像。那就谁也不欠谁。——话又说回来了，我怎么那么容易让人给生了？噢，我好好的，哐啷，给我生这三维空间了？你知道我正干吗呢？万一我正有事呢？万一我正赶什么呢？您这一截万一耽误了——我干吗呢原来正？

——我一定不是专为来这儿。这儿的事我都是到这儿才听说。事都不大，罗圈儿架，每圈下来都说没意义。这儿，拿电信的话讲，都是短信。——见过短的。别的不记得，就记得丢转儿。一下慢了，按球的转速算时间了。这差到哪儿去了？这儿个球不瞒您说我原来还真没听说过，比他亮的有的是。那是谁把我引这儿来了？吸引力呀！宇宙拦截，量一定不小。还是我量本来不大，谁都能截我？

妈是重大关系人，还有爸。我不信我只是借他们的壳扮人——我为什么呀？可是我看不到更深远的联系。我妈等于已经告诉我了，她不为什么。她没目的。她很抱歉。

我爸，他为什么？如果只为让我游历一遍人间，我谢他了。这件事怎么就摊上他了？一个人的一生是为另一个人准备的。上一代是为下一代而生的。我不能接受这样的说辞。

——就是说如今我爸把白骨藏在新州的野土里只剩下牙，本人又去后面排队？

——就是说直到最后一代，地球崩溃这一天每个人都要死，意义才会与恐怖同时显现，要多恐怖有多恐怖。你们这儿管意义——为什么不直接叫恐怖呢?

——你们到底有事没有?——就是活好了这件事你们世世代代搞不定对吗?

——我也不认为，一个人能活，跟着跑的人多就叫意义。

——改变什么了?我见宇宙未见一粒星尘被生物抱住，生物盖楼，生物起飞，生物聪明了，生物把楼炸了，有什么感觉。

纯为我，你把地球整球给我，我都不要——我跃入星河。但是，我爸我妈，我找不到关系。

我妈说，我前边还有一哥，丢在北方。他为什么呀?合着我们一家搭上。多少人，就为生出个我到处打听我为谁来?也是一颗催泪弹。——我这个有情众生。

现在听说四省之外有个人能和我聊聊。

27. 丘陵、村庄、丛林都在移动。太阳这只嫩蛋，天裹着就破不出溏心。云成了老大天上滚还贴着江岸滚追随船。滚到江回头被岸闪了全落水了，张牙舞爪袭船而来，千丝万缕散乱一水，淡淡抽絮，低低游飞，都成葱了，葱葱拔升，在乌青的天上重为苍然巨朵。巍峨追人，沦下一头细如狼毫的雨。一只大白鹅扑打着翅膀跳进江中，一个正在水里游泳的女子闻声回头，岸边石上摊得片片衣衫和一根浸在波浪里的捣衣杵。

江上有船家回头唱戏：若见大地奔走，生死重蹈，佛国净土或为铜岛；花在暗夜开，龙宫不挂龙袍，树俨然成墙，路断为铁道；家已了无痕印，你在空中领跑，银河胜景昏昏往事都在流转、颠倒，一幕开一幕，只是心思状告；你就该知道既无地方可去，也无神灵可以投靠。

岸上有人头马头在草木丛中一跃一跃跑，跑着跑着只剩一片葱茏。

再回头，本人已是耀眼江流中远远一个小人儿。

28．凭貌山，东禅寺，累累草堂，前数进佛殿火光冲天，乱哄哄人声鼎沸，俨然红小兵破四旧。后排一片祥和，后排很像国画，跨院套跨院，小门抄小门，女墙乘着山势一路跳下跳上，登上一层石阶小柴门，推门见峡谷。

走到舍命不成崖不倒还要盘卧松——我将要去工作、吃茶、写诗的松木碓房前，脚外一脚，已是听如大军压地而来，见如乱巴掌一通狂扇的风世界。

山形陡峭，山势如梯，山松怪招迭出，山道上，一行小人儿气急败坏往上爬。

这壁河山已是轰轰烈烈，山峦泼酱，江川滑腻，平原一片蜡黄泛着腥腥灿然。

我还没到。——在路上。

29. 我背靠大海，从头上满堂白云翻卷走到头上满堂白云卷翻。

面向一望无际的甘蔗，甘蔗擂得我胸疼，走出林子我再也不要吃糖和啐不完的渣儿了。我走过海黄云天的香蕉海岸，成摞成串的香蕉掉下来砸得我满脑袋包。香蕉皮海滩摔得我只好边爬边注意身后追上来的潮水，拿胸当滑板拿手当螃蟹八只爪拼命挠，走过海二百里了还撅着腚，小鸟以为是窗台。我再也不要吃膏泥、摸酱、黏、稀、稠了。

我走过暗无天日的龙眼沟，龙眼密密匝匝瞪着我，沟里猴子见人不说话光指指嗓子，走出沟我也没亮音儿了，满嘴燎泡一手掐着自己喉咙，再也不要吃长眼睛而且吃完扔地上眼睛更亮了回头就瞪你的——东西了。

我走入飘着酒香的广柑谷，广柑晃花了我的眼。脚下趟着长年无人采摘，自己熟，自己下地，自己烂——遍地吹泡儿发酵的广柑泥。走几步就脚下发酸，眼神发飘，脖子装弹簧，啄木鸟啄木我也跟着点头，忽然两只金脚看着很不习惯，后跟儿成翅膀也很不喜欢，轻巧睡过去完全没过程，头顶着树手抓着枝醒来很后怕。感觉暗中有人在拿辣臭制作栓剂，一有机会就往我鼻腔塞。拿我配嚼子，张嘴呼吸就让我试戴。两只耳朵辣得都竖起来了，风一飕全在尖儿上。眼泪越抹越止不住，好像我在跟自己动感情。

走进深谷我终于吐了，要扶着树一棵棵走，一棵棵吐，都是辣水儿，扶着树吐。见沟里小溪不敢过去，因为小溪是琥珀色的，几乎不动，糖浆一样迟滞地一弧一弧往下淌。溪底沉着一层栩栩如生的蜜蜂。溪边陈列着森森白骨，有人类，其他哺乳动物，鹰架子，爬虫脊椎，都是骷髅折断在溪前，犬牙年久浸在水中已被镀得金牙。还有一家子的，大脊椎带着小脊椎，一同散架在那里。一具上半身皮筒子还有一簇簇毛，下半身露出尾椎、骨盆、大小腿骨，两只后掌骨，各一圈趾骨，额头还有毛，还有眼皮，但眼睛是窟窿，龇牙咧嘴的大猩猩旁边，趴着一个肤色灰暗但是完整的人，一只胳膊垂下水，水动光动似乎手指也有动。

我手指插着鼻孔下去，指头立刻染香了，指缝间充满一股贞烈的流香，就是满山发酵的广柑泥太阳蒸馏，云冷却，风过滤，川流不息通过人体的感觉。就是这趟凛冽的味道搀在一起，直顶颅囱，整个人脸皮连脚气都松了一圈，轻了一轮，前胸醒，四肢醒，堵住汗毛孔的泥沙扑簌簌往脚上掉。

走到溪边，手舞足蹈，耸动鼻鼓，兀自沉浸在满脑迟钝的放松里。完全忘了来这儿的初衷，乐陶陶其实心怀鬼胎欣赏起溪边风景——那些白骨也纷纷精怪有趣。

瞅着琥珀滑面，看太阳在上流过，水像绸缎美丽。然后跪在美丽前，伸出自己探向绸缎。这时有湿手拍了我一下，我背换面如乒乓球拍子——立刻全是胶粒儿。

我都没力量回头，生怕再看见谁——还是看到了水中巨大的反面的自己：两手揪着土层两绺草，全人连嘴——唇还吹成小喇叭，全伸水面来了，流里流气似乎要跟水亲嘴；两只眼——满珠子得了意的坏美，框子下一潭皱纹，人很老，很旧，很脏。——全被放大了。

这得叫非常现吧？这得叫巨暴露吧？什么我就暴露了？就算是喝酒，喝好酒！值当跟脏旧木耳见水，发成——这朵花儿吗？——回头我再掉水里。

我大——起身。瞅见旁边醉人已翻了个面儿，鼻孔朝上，皱着眉头，一肘挡着太阳，脖子枣红，像在沙滩日光浴。——一手刚从我背上滑落。

你干吗呢？醉人问。

来找你呀。我胡乱应道，一想不合适：路过路过。

路过上哪儿呀？路过就不打招呼了？路过就装看不见啊？

这不看见了吗？这不过来了吗？我这时也是头沉眼涩腿杆细，心里还明白：一口不能喝了。拾起醉人一只胳膊怀抱着，迈田字步：赶紧着吧。

醉人被我扯一下，像表针从十二点歪到一点：我躺会儿——你让我躺会儿。好容易躺会儿——我能躺会儿吗？

你走不走？你不走我可走了。一前进——手里胳膊掉了。

你别唠叨，你能别老唠叨吗？你现在越来越唠叨了。醉人很烦，胳膊上没袖子还一个劲往下胡噜袖子。上次你就把我搁这儿了，这次你又打算把我搁这儿——你到了儿跟我说说，你一天到晚赶什么？

赶聊天。我说。

谁你都聊，有什么可聊的？你先坐会儿你先跟我聊会儿。醉人一翻身嘴朝下话说得飞快沙子都喷出来了。

醉人说完挽留的话，露出要聊的意思，腿一抽筋儿，睡了。

我可真走了，不管你了，回头你可别说我没管你。一步跨出，话音儿未落，声儿犹在耳，反应从头至脚闪光圈儿环环转过全身：此人是我七世醉友！

每一世我们都赶一起同厢共醉。每一世都不曾醉到一命方休。每一世都是携手入席，相对把欢，大红大绿，大醉当中另一人已不知方向。

化身酒盅和一盘菜，醒来盘子舔光了。化身茶壶和酒碗，醒来茶壶让人端走了。化身玉壶和壶嘴儿，嘴儿磕石桌上玉豁了。化身一张清面四条腿，腿让人坐折了，面儿让人掀了。化身对联，上联字残了。化身墙和窗，依然是隔着清清楚楚，满墙窗影手去关窗却见花瞪人。化空潭沉月，人去捞月反被月惊醒。化酒本人，从此流成溪，香着睡去了。

我那一大步才在睡人脸旁轻轻放下。才要捡广柑，广柑只剩皮了；才要吃皮，皮成纤维——粉儿了；才要依树，树成松了；才要靠松，松成松柏了。坐草，草成灰，风吹——飞了。望云，云烟气冲——散了。望日，日落山。望落日，天转眼黑了。——晚天全是流星雨，一扫帚灯一扫帚灯射过头顶，断线珠子般落向山头那边。

我跪下喝琥珀溪里的酒，酒结冻儿；我挖冻儿，冻儿结冰；我拔出四条白糖挂霜胡萝卜，滑冰——我；冰——溶解于酒了。我一脚踏进窟窿，怎么脚下全是喀嚓脆响，还起蛾子？——酒，干巴儿了。

这时我后背感到月光烤，才回头月亮已行至眼前，白得见骨。我想上吊篮，又怕冻手。月亮已映入眼眶，果然冻眼。月亮都是碎冰，果然冰瞳孔。

满山谷广柑树翠绿，枝头站满果儿刷刷往下跳——这是谁请的巴西跳水队表演冰棍儿！天阴了又晴了。酒溪干了又见亮儿了。我头发白了又黑了。指甲透了明了厚了饼干了又奶粉了。我香也醉了，味儿也吃了，该说的话也说多了，到这会儿，人睡了，就剩我一人——骇了。

我一手捧腮帮子，一手拿指头，蹲着，在睡人闭着的眼前沙沙写下五祖的地址：要找我上湖北。

我一扔手——噫！我在写字——不是说好我不会吗？还得说酒能出人。再想写关心、不放心的话，又不会了。还得说拼音文字好，心里想的，嘴能说出来，手也就跟着写出来了。跟谁反映呢？我只是不识字。

30．翻过山头我再也不要看太阳。见过晃眼的我再也不要吃腥黄的。不要吃一瓣瓣往下撕，解渴，但是败火败大发了的——鱼片也歇菜吧。

唐朝的林子太大，果儿太杂。每段林子走进去我都不知道另一头穿出来的是个什么。磨石山漫坡黄草杉，本想紧爬两步就透亮，我爬了七个日落还在山下，我必须把每棵树峰都爬了。

大庾岭一株梅，我头刚靠上去马上入梦，一个粉红女子指着喊：行啦！别弄了！再弄该大了！该回不来了！粉红女子掩面泣下：你是不是已经回不来了？

我这边头颅一提，始知人被香死不是谣言。骑田岭半山毛麻棵子，我拣直走进去觉得里面似乎坐只猫，似乎坐只虎——果然是只虎，早就望着我——我能说面带微笑吗？我心想着让路，眼珠一沉，沉老虎两坛竖着光锥的水晶体里去了。这一沉，就看到太阳滴溜溜落山，满山绿叶给打拍子，黄光出现轮盘，刀刀刨光，削出三维圆——美极了！三维圆硬朗如钻戒，立面摄光瑕不掩瑜，极为透彻地反映出我一塘惊诧未合的嘴，和塘里游的软舌头。飒，一过凉风洗脸。我耷拉眼皮想走。老虎大声叫我留下，流下口水准备与我赛跑。

虎轮刚驱动，眼前站着一只纯洁的鹿，虎又呆掉了。我转身要跑，面前一轮明月，也呆掉了。月亮照亮扬子江。虎的影子上月亮——虎站起来，俨然路易威登代言人。

鹿已躺在地上——单纯依旧。黄老斑斓伯伯趴在鹿身上张着嘴，像个孩子茫然望月。月霜把它变成一只白虎，眼中堆着雪。

我出林了。我下岭了。盲虎还叼着鹿张嘴发呆，牙上的血都黑了。

31．出了韶关就一直沿着窄窄的山脊走，像歪歪扭扭走在刀背上一样。

沿着南岭山脉走向罗霄山脉，但是林子还很大，都是橘子树。好容易对面刀背过来个人，我就问：是湖南吧？猴一惊。

进了湖南就一路吃橘子。那时湖南没有辣椒，没有土豆，也没有番茄。别问我湖南人那会儿吃什么，我也不清楚。当年我过湖南，我必须向大家报告，湖南没人。

你算嘛，隋文帝治天下全国不过八百万户，隋末大乱人口十去其九，经过贞观之治到高宗也不过三百八十万户。江淮一带都是著名的人烟稀少，后来平定了高丽，将高丽民众三万八千户迁来充实，今天江苏人安徽人大脸的可能是韩民族来的，江淮以南，尤其山路上，谁还在呢？

和我们广东人生活方式差不多，知道饭是什么，但是都不怎么吃饭。我确实是老土，岳阳、长沙这些个大地方，要再等两个五百年才听说，到今天也没去过。说是纵横四省，其实对我来说一回事，都是山，上山下山，这座山到那座山。饿了，见圆的就捡，捏得破的就咬一口，一把一把薅路边灌木丛中的小浆果往嘴里塞。有一次一定是吃到花椒了，嘴麻了一路，进了村遇见人还瞠目结舌。

32．渴了，趴地上吸泥坑满是孑孓的脏水，大便稀了又干了，尿黄了又绿了，走路捧着心，肚子老是疼的。累了困了，就蹲在路边顶张荷叶打会儿瞌睡，有脚步在身边停下，必须立刻醒。那时湖南有老虎，经常成群结队跟着我，也是赶路。有一天我腿有点瘸，一群老虎撵上我，伙同我走了一下午，身上味儿特大，但是一路没人敢惹。洞庭湖里有鳄鱼，从这座山到下座山之间，天气晴朗，可以看见它们往水里拖猪。那时的我，还以为中国是山国配点湖呢。

33．我路过张家界时那里正在进行一场史书上没有记载的小战役。一支刚从北方调过来的步骑弓弩跳荡诸兵种齐全的唐朝军团前去进剿当地不服从中央政府政令的少数民族部落。刚摆好战场，我就到了。头天我还和这个有着光荣历史，太原成军，参加过开国和抵抗突厥历次战役的老军团的一个掉队的老兵聊了一路。这兵是山西人，出来很多年了，只记得家里醋好喝，姑娘牙黄。口音都怪怪的，一会儿滋出唐山味儿了。

对过蜂拥下山迎战的是什么民族我也不熟，就瞧他们跟我们老家人一个风俗，打仗前先脱衣裳，跟要去一块儿洗澡似的。爱惜织物啊，当知一寸棉一厘纱来之不易衣裳太贵了。那时打仗跟打群架似的，也没听见敲鼓，一伙伙穿藤甲白汗衫的士兵从石笋后冒出来，与一群群画鬼脸屁沟勒布带的壮年汉子扭打在一起，互相捅刀子。溜溜看了一天，两边人还都站着，互相打不死，临合眼——困得实在睁不开，每条石头上石头下石头缝里还满是抱一块儿拳打脚踢的，抱一块儿啃的，裂肺大叫的。才上眼皮碰下眼皮，就一秒——感觉啊。再张眼，整个张家界只剩我一个人，月光下满地透着窟窿眼的尸体，刀全拔走了。

34．由湘入赣，一路很僻静，树木长得很好，行人看见我都躲，以为我是赤手强盗，我也不想解释。我进一村讨水喝，遭到当地山民拘留，吊在村头寨门上迎着太阳烤我，有臭孩子还撒泡尿就来转我一圈，狗都围过来舔我滴的油。第二日半夜，麻绳断了，我砸一狼身上，它边号叫边跑，我也边号叫边跑。

我在庐山转了向，迷在成行的山岭中鬼打墙出不来，七个日落，一停下就看见迎客松，烦死我了。在一个群山环抱的小湖旁，我狂喊：倘有菩萨，就来救我；倘无菩萨，就让我沉入湖底！纵身跳进湖水。入水就觉得撞到一脸稀烂，第二下就踩着泥站起来，上半身凉飕飕的，油一样柔滑的水下一群小嘴儿围嘬我。

进了湖北我又走岔了路，一个可疑地蹲在路边草丛里迟迟不起来的妇女指示我跟着一条流速飞快的山溪走。那水清得没一条鱼，快起来像一匹刷得发亮的白马。我走了七个日落，峰越密，溪流越挥之不去、极尽悠长奔逸，深峡穷谷迎头风像冷水过身，激得我起一背奶头，什么东西左右砸腿，头发全立着，逢雨全背着。有个当年也在那条道上赶路，半途跟我打过一照面擦肩而过的朋友，改革开放后又在深圳见了，他说：你那时相儿够大的。

35. 走脏了我就跳进溪中头朝下扣出个大字，一边用手搓泥一边顺水漂，看到金丝猴水中倒影才猛醒到了神农架。我在溪流拐弯处上了岸，哆嗦得只能双手抱自己蹲白天烤热的石头上。我一脚踩在泥浆里，留下一个冲击力十足的脚印，从此神农架有了野人的传说。

36. 长江顺流漂下来上游发大水冲下来的尸体，果然如人所说，女的仰面朝天，男的一律俯卧脸泡在水里，一具、一具，络绎不绝。

(以下请见《六祖坛经》) ①　　　　　　　　　　　　　　(完)

2003 年 7 月 8 日于北京

① 首次出版时约 6 万字，本次再版根据作者要求进行了删节。

宫里的日子

高阳给阿武描眉，染腮，手拿一管口脂给阿武点唇。

阿武给高阳描眉，贴花，戴假发。

阿武与高阳身着突厥武士装持刀做怒目状。

阿武与高阳、小李着帝后装笑嘻嘻看着远处。

一队新选入宫的美丽少女进入内廷后院，其中有脸蛋光滑的阿武。

一群年幼的皇子公主们站在廊上好奇地观看，其中有高阳和小李。

阿武在光线昏暗的室内更衣，沐浴，熏香。一个胖胖的女官为她量身高体重三围四肢，测视力，嗅腋下。

在一干女官和皇子公主的注目下，阿武劈叉，开胯，大跳，跑圈，吟诵，歌唱，拨弄乐器，进行才艺表演。

阿武抱着新发的衣服在太监的带领下沿着弯弯曲曲的走廊走进后宫深处的小偏院。幼小的皇子公主们嘻嘻哈哈跟在后面瞧热闹。

宫殿房顶大海波浪一样连绵无尽的黑瓦，夕阳在远方缓缓降落。

老李：还是要讲出身的，我不想让皇子都生于平民之女。

老武：宫门一入深似海，从此你就要靠自己了，活下来，你就是报父恩了。

老李：你父亲，倒是个老实人。

高阳：你大还是我大？怎么光笑不说话？

小李：姐姐姐姐，高阳是姐姐，你也是姐姐。

阿武：当着人不许乱叫，没人的时候，可以。

小李：姐，姐，这里好还是家里好？

阿武：进了你们家，哪里还有自己的家。

小李：就喜欢人多。

高阳：都假惺惺的。

老李：……头发不必剪，膳食不必克扣，你要依旧事她们如母。

小王：姐姐穿白真好看，我也要他们给我做一身。

高阳：你穿白不好看。

小萧：皇上皇上。

高阳：这是哪儿的口音呀。

小李：你们说了算还是我说了算？

阿武：就是想吃碗我妈做的刀削面。

两只丰满扭动的马屁股，每匹马上有少女的两条腿分开紧紧夹着马腰。——阿武、高阳两个身穿男装的盛装少女拿着小弓骑着高头大马踏春，边走边聊。

一只鸟在树林上盘旋。高阳张弓射出一支响箭，鸟应声坠入林后。后面窜出一骑马小男孩——小李，飞也似的冲下草坡。

小李催马跑进树林，噢噢乱叫，一堆五颜六色的鸟飞起来。

高阳拍马弯弓连续射出响箭，意气风发，矫健俊美如画。

阿武也追上去扭腰连续发箭，箭声如急弦。二女绕过树林而去。

小李钻出树林。

二少女下马垂手站在一个面色严厉的老头面前。

小李也连忙下马叫：舅舅。

长孙：你瞧瞧你，爬哪儿去了，滚得还像个人吗？在禁苑打鸟，这是专为祭奠你母亲放生的鸟，你们竟然都给打了。读书没精神，跟在女孩子后面叫人家使唤来使唤去我看你精神好得很。回头看我怎么跟你父亲讲。——高阳，你瞪我干什么？

高阳：没瞪。

长孙：还没瞪，我都瞧见了。你妈不在这才几天，都没了规矩，你这个当姐姐不带个好头。还有你——怒视阿武：选你进宫是叫你来玩的吗？他们是谁，你是谁？真不给你父亲争气，我看你是不想出息了。——都回去午睡。别再让我看见你们在这儿疯跑。太不像话了。这个家简直不像个家。

长孙气冲冲离去。

高阳：讨厌。

小李担心地：他会告父亲吗?

高阳：告了父亲也记不住。

一个太监跑过来，牵住三匹马。

太监：公主，晋王，奉长孙大人的命，送二位回宫歇息——又让我们挨说了吧。

高阳摘下手镯递给太监：赏你了。

太监：谢公主。武才人，长孙大人让我问您，今天的布织了吗?

阿武摸下一个头钗递给太监：给你添麻烦了。

一群乌鸦掠过宫殿。前边大殿散朝了，只见一帮宫女往回跑，广场上等候的车夫轿夫一阵骚动，才看见皇上和穿紫衣的高官们出来，边走边还说事。后面出来的是穿红衣的中级官员。

乌鸦落在屋顶。这是一个院子套院子的建筑群落，房间无数，灯火通明，男男女女川流不息，或坐或站，端盘子扛枪，或怒或喜，有人在拥抱，有人在发呆，有人在吃饭，有人在挨打，有人在掩面哭泣，有人在上吊。

阿武在一个小偏院的厢房里纺布。

比邻的另一个小院，有一桌菜，坐着一个少女。再往前似乎还有这样的小院和少女。再往前是更宽阔更高大的房舍，人穿得也更华贵，桌上的菜更丰盛，都是好看的女人，还有小孩和老女人，都在吃晚饭。

再往前屋顶上插着一只绣着龙的皇帝旗，在夜风中缓缓舒卷。下面是一间挂着弓的房间，一些简单的饭摆在桌上，都没怎么动。老李—— 一个憔悴的老头背手在地上踱步发愁。

老李握着双拳：两面发动——打，还是不打？

长孙等一干大臣同样一脸愁容地站在一边。担任史官的褚遂良站在一边的高脚台前执笔做着记录。

老李下了决心，挥出一拳：打！接着继续发愁：打哪个？转向长孙：关中今年的麦子长得怎么样？

长孙：关中的小麦都黄了，应该是个好收成，可是洛阳、青州一带春天大旱，影响了播种，只怕秋后有饥馑。

老李：青州有饥馑，粮食就要从关中征调，走到渤海也吃了一半。青州的战士出征也心不安哪。

门一下撞开，高阳端着一盘子糕进来：爸，我蒸的发糕，搁了好多枣，您必须尝尝。

老李一见女儿脸上露出笑容：尝尝。——好吃。舅舅也尝尝。

长孙：陛下晚饭就没吃几口，臣就不与陛下争食了。看了眼高阳，对老李：还不到没选择的地步，不战而退西夷之兵，臣倒有一个馊主意。

小李进了阿武的屋，盘腿坐炕上：姐姐吃了吗？

阿武：织完这匹布才让吃呢。你吃什么了？

小李：乳饼和粥。

阿武：都吃了？

小李：乳饼都吃了，粥还剩一碗。

阿武：去厨房给我找点吃的，饿得我心慌。

小李：哎。连忙下地要往外跑。

高阳进来：不用去了，就知道你挨罚了，我特别给你留了发糕。刚去前边察看了一圈，大人们正说打仗的事呢，一个个愁得什么似的。

阿武：大唐的边境也太长了，不是东边有烽火就是西边有狼烟，议一年也议不到你们这点调皮的事上。也就是我惨点。

高阳：可惜我不是皇帝，我是皇帝，第一道旨就是封你为贵妃，再不许这双小手织布。

阿武：那可不是乱了套，你我可指不上。

小李：我封。

阿武：你封也不对。

高阳：什么对不对，皇帝说的话都对。

老李：馊主意，绝对是馊主意。

长孙：陛下，大军一动，必是凶年。我就不疼高阳吗？谁让她生在天子家，天子以四海为家，天下苍生都是您的孩子。

老李：不给。文成给了，我的心都碎了。朕有多少女儿，四夷来要，都给吗？后人岂不要说朕是靠女儿享天下。

老李一脸凄然：一个平民百姓还能选个好人家嫁女儿，朕留一个女儿在身边，后人也不能说朕偏私误国吧。

长孙：那就只有倾全国之力，打就打疼他们。但在动兵前，还要请陛下办一件事。

高阳裸背趴在床帐内，阿武骑在她高翘的臀上为她按摩，近乎泰式按摩，反扣双臂架起来摔下去，高阳的关节劈啪响，舒服又疼痛，难以抑制地尖叫。

小李赖皮赖脸往床上挤，挤高阳。

高阳：你讨厌。

阿武脸上滴汗：你趴好，我给你们俩踩背。

阿武的两只脚丫，在两张裸背上灵巧地踩来踩去，像舞步。两张背上汗津津的，姐弟俩高一声低一声地叫。

阿武边踩边跟高阳说女孩子的话：我这脚趾头是拿绵羊油调胭脂涂的……

哎哟一声，阿武身子一歪，栽了下去。

御花园湖畔草地。高阳扎着辫子趴在地上，对一帮小孩说：我假装可汗死了，你们效法突厥人办丧事的样子哭我。

小孩们上马绕着高阳号哭，用手抓自己的脸。

高阳阿武各率一队男装女孩打马球，大声呼叫乃至以球杆作枪互相刺杀。

高阳兴奋地对阿武说：假使我今天做了天子，明天就调一万骑兵，我和你分别率领，命他们互相真打，一定更好玩。我还要和你带十万骑兵到金山打猎，穿羊皮吃羊肉，散开头发，做一个不受拘束的突厥人，想想都痛快。

高阳和阿武摁着小李在草地上，拿口脂给他涂唇。

小李挣扎着乱扭，口脂涂到他脸上。

草亭内，高阳阿武两个大女孩并排坐在中间，头上戴着花冠，皇帝皇后的样子，小孩们嘻嘻哈哈分立两旁。

脸上被画得东一道西一道的小李被两个挎着木剑的小女孩反剪双手，推推搡搡押上来。

高阳：雉奴，有人说你私养壮士，交结外国，有意谋反。

小李：没有。

高阳：还不承认，你奶妈都揭发你了。来呀，推出去斩了。

王二丫跪下：晋王冤枉，晋王是忠臣。

一帮小孩跟着跪下，乱七八糟地说：晋王冤枉，是忠臣。

高阳：真是一家子，舅舅爱演忠臣，你也跟着演，我说谁是反叛谁就是反叛，不准奏，斩了。

王二丫：姐姐是昏君。

高阳：不服，连你一起斩了，舅舅全家灭九族。

王二丫坐在地上哭闹。

高阳蹲下问：害怕了吧，小地方人，没个见识。

阿武拉王二丫：快起来。

对高阳：别吓唬人小孩。

小李被推着往外走，边笑喊：臣一片忠心，臣死不瞑目。吾皇万岁万万岁。

高阳推阿武：光顾装好人，快替我弟求情呀。

小李一个踉跄，跪在山坡上，身后女孩们喊：威——武——

小李拧着脖子问：皇上的赦令还没到吗？

没人回答。小李回头再看，亭内女孩们早没影了，长孙一手指着他气得浑身哆嗦：你可真有出息。

小李爬起来一溜烟跑下山坡，边跑边拍膝盖上的土。

长孙在后面着急地喊：别跑，你父亲有事见你。

一面面军旗迎着艳阳走来，鼓乐齐鸣，宫门外广场上正在阅兵。广场周围，道路两旁站满观礼的贵妇和人民。

老李身着黄金甲挂剑骑在白色骏马上，所过之处，人民纷纷伏地礼拜，犹如人浪。

皇帝龙旗由高大骑手护卫高举经过广场，紧随其后，是随驾出征的各王的王旗，各大将的将旗，和出征各部队的战旗，宛如旗帜的海洋。

宫门城墙上的树下有一片彩霞似的颜色，那是站在墙头观望的宫里女人们身上衣服的颜色。

出征的鼓乐声传到宫院深处只剩隐隐一点。游廊上，高阳和阿武手挽手边走边笑。

小李带着一帮人迎面过来。两少女行礼。

阿武抿嘴笑着说：晋王去读书？

小李愁眉苦脸：你们去哪儿玩啊？

高阳：我们去采桑，还喂蚕，还洗温泉，还饮酒。

两少女大笑。

雉奴恳求：等我，下了学去温泉找你们。

高阳和阿武走进一个夹道，什么声音在哼哼唧唧。她们来到一个紧闭的黑门前，高阳先扒着门缝往里看，然后让给阿武看。

阿武凑上眼睛，立刻眼睛被灼了一下——里面是一个通红的院子，墙、地砖、柱子、瓦都刷着红漆，大太阳照着像烧大火。

地下两个太监在使劲拉一个宫女脖子上的绳子，宫女在地上宛展而死。

阿武缩了回来，脸像发烧，眼神恍惚。高阳又扒上去津津有味地看。

院门开了，两个太监扛着软软的尸袋出来。高阳在尸袋上捏了一把：什么事？

太监：传闲话。

高阳对阿武：天天有，砍头最好看，血喷起来能看到彩虹。

阿武：她怎么不叫呢？

高阳：嘴都堵了。你没见过杀人吗？你们家下人捅了娄子怎么处罚？

阿武：我们家，也就是打两下，撵出去。

高阳：我们家，最省事，不会来事的，有脏心眼的，杀——杀完就清净了。高阳仰着脸笑。

室外温泉。阿武和高阳泡得满脸通红，水上漂着托盘，上面放着酒壶和酒盅。高阳捧着阿武的脸嘴对嘴给她喂酒，从后看像是在接吻。两个少女呛得连声咳嗽，接着大笑。外面有人喊：太子殿下驾到。

两少女沉入水下。一片水声，小李光着膀子蹚水进汤，见没人发愣。

水下，两少女像两条大白鱼分头向他潜去。小李大叫一声，水面空无一人。

像是过了很久，小李再从水里冒出来，已是青年小李。对面泡在汤里只剩一个阿武，也不再是少女，而是青年武媚娘。

阿武：听说太子要大婚了，恭喜呀。

小李眨眨眼：姐姐认识的，舅舅家老姨的表妹，小时候常来的，逢年过节一家老小就都住到宫里来。姐姐不高兴吗，又多了一个可以一起玩的人。

阿武：高兴，今天能见到高阳了。

小李：没听姐姐惦记过谁，就高阳高阳不离嘴，她在自己家美着呢。昨天她叫人捎进来的奶酥，姐姐也有一份吗？

阿武：也就她还想着我。

小李：我呢？我不事事想着姐姐吗？

阿武：以后，只怕见你也不容易了。

鼙鼓动地，长安城外，火光冲天，突厥铁骑排满渭水河边。

帝旗驰出城门，老李戴着瑰丽狰狞的面具单骑只由一个旗手伴随来至河边便桥。

突厥一将立于桥头，喊道：我们可汗率兵百万，今日就要到京师了。

老李怒斥：我与你们可汗立盟和亲，赠送金帛之多，前后不能计算，你们今日背约领兵深入中原，对我不觉得惭愧吗？你虽是戎狄，也有人心，怎能全忘大恩，自夸强盛，今日我先杀了你。

突厥将军勒马大笑：听说秦王已经老得骑不上马了，你又是何人，这么大口气？

老李摘下面具：你细细看看我是何人。

河对岸，突厥众将大惊下马罗列而拜。

老李身后，只见七将戴着面具在各自的王旗、将旗伴随下飞马赶到，并骑而立。接着七路步骑兵高举火把旌旗陆续开到，人喊马嘶，至帝旗下逐次布阵，剑拔弩张，顷刻间，唐军连营一眼望不到头，唐军将士一律戴着威猛面具，真虎狼之师也。

长安城墙轮廓为火把勾勒照亮，甚为雄伟。

火光下，老李在桥头斩杀白马。

一把菜刀在切肉丝，一百把菜刀在切案板，刀下出的有成堆鲜红的肉丁，有肉片。厨房内炉火熊熊，烤着整羊整牛。大锅里熬着奶油。一排小太监在挺身抻面，银丝撩眼。

宫廷夜宴，到处是蜡烛，鲜花，金樽美酒和大银盘装奶食烤肉和面点。宫廷女子乐队在演奏。女人们头上脸上和衣服上的繁花使人眼都花了。长孙和几个年轻的皇子驸马在问候太后。

高阳带着驸马房遗爱和一队侍女走进来，向太后皇后们施礼。又一个公主带着一队侍女走进来。很多妃子和公主带着很多队侍女走进来，衣着各异，极尽华丽，像是时装表演。

高阳拿眼睛在人群里找。

阿武在她身后小声说：这儿呢。

高阳眼睛笑得眯起来，和阿武紧紧攥了一下手，两个人走到一边说话，手一直紧紧拉着。

高阳：老没来，怪我了吧。

阿武：奶酥很好吃。

小李带着小王小萧进来，一个女官给小王小萧挨个介绍后妃和公主们。

小王依稀可辨当年王二丫的眉眼。

长孙：陛下有旨：前方军务繁忙，就请太后先为孩子们把婚事操办了，不必拘礼，待班师回京，再补办大典。

高阳：我看舅舅家这个孩子干不过那个小妖精。

阿武望着远处向太后献媚的挺胸撅臀的房遗爱，问高阳：他对你还好吗？

高阳无声地：男人怎么都不细腻。我弟纯粹是个傻小子，你倒是好好教了他没有？

阿武：你问他去。

小李好像听见这边在议论他，朝两个姐姐傻笑。

又进来一些皇子和公主，纯粹是小孩。问候完就给带出去了。

急促的弦管，成年后妃们围坐在一张桌子旁弹奏音乐，用长把勺子从一只大碗里舀酒喝，都有点喝醉了。一个胖脸蛋的妃子呆呆地看着这边。驸马们醉在一起吹牛逼。

几个年轻的女孩站在一起聊天。

小王：姐姐姓什么？

阿武：武。

小王：你们家是哪儿的？

阿武：山西的。

小王：山西哪儿的？

小李走过来：你少喝点。

小王：我还没喝呢。指阿武：她也是山西的。

小李对小王悄声说几句什么，小王瞪大眼睛：啊，她是阿武姐姐，都不敢认了，姐姐太漂亮了。

阿武：你才漂亮。

小王想起什么，捂着嘴笑。

高阳过来，和阿武单独碰了碰杯，互相揽腰依傍着。

小王：高阳姐姐我敬你。

高阳对阿武：小孩还挺会说话啊。

阿武：挺可爱的。

小萧举着酒杯踉跄着奔过来，嚷：到处找你，一晃就不见了，哎哟。说着脚一软，正倒在小李怀里，咯咯乐。

阿武高阳忽然大笑起来。小李一手托着小萧，特别不好意思。

高阳：这是哪儿的口音呀。

小王捧着酒杯说：她没酒量。

高阳把小王推到小李怀里：这个也别忘了。

成年后妃们面色严峻地弹着琵琶，奏出苍凉的曲子。

小李和少女们一堆躺在榻上，醉眼蒙眬，互相依偎。高阳和阿武头挨头、手缠手摇着很享受地躺在一起。小李的手加入两个姐姐手中，三只手互相紧握一起，在小王眼前摇来摇去。

高阳一只手隔着阿武搂着弟弟脖子，小李很舒服地钻在阿武怀里，这个姿势显然是他们三个人经常的姿势。

小萧的一只手伸过来，胳肢人，中间的阿武大笑着坐起来。

长孙醉步挪过来：太子呢，谁看见太子了，他该回房睡觉了。

高阳：缺德老头，还想把我嫁到国外去。对阿武笑：你知道吗，我抵得上百万大军。

大军回城，帝旗飘扬，鼓乐喧天，老李穿着黄金甲骑在白马上，后面是神采奕奕的战士。囚车上装着战俘，掳掠的财帛。军队进入广场，人民欢呼。

蒙着布的马车内是伤兵，战死将领的棺木，一大溜，在城外黯然分路，走另外的城门。

凯旋的鼓乐传到宫里只剩隐约一点。还不如蝉的鸣声大。

宫里很辽阔，广场上没有树荫，日头晒得琉璃铜器和地上铺的白石头处处发亮。一座宫殿搭着维修的脚手架。广场垛着红砖，青草。

小偏院里，门窗紧闭，猫在廊子上打瞌睡。屋内，窗下床上，高阳小李阿武三个人肢体横陈被单凌乱正在怒睡。

长孙和一干大臣守候在殿前。广场上还有一辆辆马车和轿子陆续到达，按顺序停放。

一座接一座的黄门旁的卫士，一声接一声地往宫里吆喝：传太子，传太子……

高阳小李夹着阿武仍在熟睡，姐弟俩的手臂大腿交错横跨搭在阿武身上，几乎看不见中间还陷着一个阿武。

宫门大开，帝旗引导下，老李天神一般傲然骑马进宫，长孙等一片紫云般的迎上去。

傲然在老李脸上僵硬了，老李想从容下马，但颓然滑下。头盔滚在地上，英武的老李一头白发，露出一个病中老人的面相。

房门嗵的一声被推开，阳光泼进屋里，床上的三个人被惊醒。长孙站在门口。

长孙：你父亲在等你。

长孙拿着一件两袖张开的白袍飘飘荡荡走过来。

小李身穿白袍跪在床前。褚遂良执笔站在高脚台前。

老李躺在床上，身上满是痈疮，已是病入膏肓的样子。室内到处点着香，烛火，远远近近帷幕后面都站着人，或露着一只手，或一只脚。

擦去胭脂嘴唇苍白的阿武用金盆给老李洗疮，做护理。

老李握着小李的一只手。

老李：我本来想在我这一代把所有的仗都打完，交给你一个永久承平的天下，现在看来做不到了，仗是打不完的，记住，可打可不打的，不打。叫太子妃过来。

小王过来并排跪在床头。老李看着这对小夫妻，摇头，叹气，对小李：从小你就是后宫最乖的孩子，我要是个乡绅，身后只留下几十顷地，倒可以安心闭眼了，可是……

小李泣不成声，俯身为父亲吸疮。

老李挡开他：不必了。长孙在哪儿？

长孙过来，老李抚着他的脸庞：我这一双好儿女就交给你了。你好好看看他们的眼睛。

小李小王两双稚嫩温良充满眼泪的眼睛。

老李：这眼睛放在平常人家是父母的福气，放在天子家就是父母的忧患了。

长孙：陛下放心，老臣在就如同陛下在。老臣眼里只有大唐的万里江山。老臣一直是、永远是陛下手中高悬的专杀乱臣贼子的刀——老臣六亲不认。

老李：教导他们，让他们懂，不是天子嗜杀，天下汹汹，牧天下如骑生马驹，不立威不足以安邦国，天子的刀就是国威。

老李呼呼喘了半天气，对小李：我这一生手上沾了太多人的血，怨气太深……又呼呼喘了半天气，看着阿武：我死后，就让她们在宫内寺院出家，日夜诵经，为我超度亡灵，供奉膳食不必克扣，你要依旧事她们如母。

老李喘气如牛，对长孙：我这里有一个名单，你替我把这几件事办了。

长孙泣下。褚遂良笔下的字也歪扭了。

老李大声喘气，发出哎——哎—— 一声大似一声垂死的叹息；眼球艰难地转动，痴痴望着小李。

阿武认真洗着老李脚上的脓血，敷药，双手不停。

宫城上的帝旗缓缓落下。

一百支唢呐吹出得胜令，鼓声如雷。

一片黑幡黑幛举起来，纸钱纷飞如漫天大雪，宫殿树木人群皆披白，老李大殡。

巨大的山丘一般的陵墓，陵门大开。石人石马分列陵路两旁。

六匹骏马拉着放着老李棺木的兵车，棺木上放着失去主人的黄金甲、长剑、硬弓，缓缓走向陵墓。跟着的是将军们拉着的兵车，上面放着老李一生征战缴获的敌人王冠、军旗。再后面是一辆辆马拉的轿车载着老李所遗嫔妃，阿武坐在后面一辆车上，位居后座。

徒步送葬的人群中小李孤身走在第一。后面是长孙率领的百官。再后是皇族，高阳在公主队里。再后是跟随老李多年白发苍苍的老兵，其中有很多是伤残老人。所有人马皆戴孝，压地银山一般。

小李哭得走不了路，要人搀扶。长孙喝令侍卫放手，对小李说：先帝把宗庙社稷托付给陛下，怎么可以像匹夫一样，只知道痛哭呢。

小李不敢再哭，忍着泪走路。

六匹骏马化为浮雕——六骏图。

帝旗重新升起。

广场上停满一排排马车轿子。

粉刷一新的宫殿，金碧辉煌，冠盖如云，达官贵妇，外国使节——白人黑人，济济一堂。

小李头戴皇冠走向皇座。

长孙率百官朝贺。

小王头戴后冠率小萧及新六宫嫔妃朝贺。

小李有些腼腆地坐在皇座上，看到下面众人都拥护他，也有些兴奋，抬手向下指。

小萧指自己，惊喜无声地问：我？小李越过她指小王。

小王满脸放光忸忸怩怩地上来挨着小李坐下。底下一阵欢呼，小萧也跟着乐。

长孙：吐蕃赞普弄赞来信说：天子刚即帝位，有不忠心的臣下，就要率兵来讨伐。

小李对小王：今天是普天同庆的日子，罪犯都得到赦免。我寻思着后宫宫女太多，长久居于深宫，实在可怜，不妨选一些岁数大的叫她们父母领回去，任由她们嫁人，你看可好？

小王：我这里先替天下有女儿的父母谢陛下了。美滋滋地瞟了一眼小李：你还挺英明。

小李憨厚地乐：只可惜武姐姐不能亲见这个场面。高阳姐姐露了一面又不知溜到哪儿去了。

小萧在底下朝小李使媚眼，小李笑，假装没看见。

小王朝底下人招手：吃好喝好啊。

夕阳，护城河水如镜，宫城深处密林中，一所寺院院门大开，戴孝的先帝嫔妃们排队进入寺院，院门在她们身后悄然无声地紧闭。

大佛慈悲地注视着下方，昏暗的庙堂安静得如同墓室。

阿武低头走进自己的房间，空旷的屋内只有一张禅床和一只蒲团。月光映在纸窗上，外面传来单调的木鱼声。

宿卫军兵营院内，士兵们在穿护甲，整理刀剑，马具，排队，一片紧张气氛。右领军郎将薛仁贵全副武装骑着马在队前点名，下达一连串命令。

公主府内，墙上绘着一幅江山万里壁画。高阳和驸马房遗爱和另一群驸马以及一些贵族公子青年将军在饮酒，其中还有韩国人。一个歌伎咿咿呀呀在唱秦王破敌的故事，几个歌伎拿着扇子伴舞。

房遗爱：我现在虽然脚有病，坐居京城，那些人还不敢动我一根毫毛呢。

高阳：你不吹牛会死啊？

一个喝醉的公子出门在走廊上吐，吐完一抬头，看到走廊里、院子里挤满持剑的士兵。大叫一声即被一剑刺死。

屋内驸马和公子们起身拔剑。歌伎们一片尖叫，但凡跑出去的都脖子染血躺在门口。

一公子喊：哪有平时受其恩惠，有难时一走了之的。与驸马等人一起挺剑战斗。

灯被打翻，油泼在地板上燃烧起来，只听一片刀剑铿锵，刀刺进身体和人闷叫的声音。

忽然一条马腿破壁踏进屋里，墙倒了，房间再次被照亮，是院子里的熊熊火把。正或站或跪压在士兵身上战斗的驸马和公子们停住，戴着面具的重装铁骑冲进房间，一圈长枪逼住他们。骑兵后闪出披甲持刀的长孙。

长孙：收了他们。

长枪打落公子们手中的剑，击打他们的腿弯，使他们纷纷跪倒，士兵们围上来捆绑他们。

高阳公主脸色苍白手拿短剑独自站在江山万里壁画前。

长孙看也没看她，纵马踏破壁画进去。

士兵们蜂拥经过高阳身旁，军靴踩灭了地上燃烧的火苗。高阳和那幅残破的壁画孤零零立于堂中。破洞处可见后院里已捆翻了一地男女老幼。

庆祝登基的通宵宴会仍在举行，大家已倦于吃喝。宫廷舞女在跳著名的《霓裳羽衣舞》，跳着跳着就颓了。很多人醉卧席间。

小李小王笔直地坐着睡着了，两个人的皇冠都歪了。

刚睡醒的小皇子和小公主们跑来跑去，一个小皇子踩了个卧在那里的外国老头，酒撒在鞋上，吓得站在那儿哭起来，被宫女一把抄起来抱走。

高阳一身黑衣走进殿中，走到皇座阶前，长孙挡在那里。

高阳：弟，弟弟。

长孙：这里没有什么弟弟妹妹的，公主，请回吧。

月朗星稀，寺院内落叶飘飘。

室内，焚着一炉香，青烟缭绕。已是女尼装束一袭青衣头戴青帽的阿武跪坐在地板上煎茶，高阳一身黑跪坐在她对面。

阿武双手捧着煎好的茶递给高阳。高阳喝茶。

阿武也喝茶。两个女人的深情都在这一盏茶水中。

高阳：说好多少事，已是不能了。

阿武望着高阳。

高阳：你我也不放心，他我也不放心。你太孤寒，心事又太重；他读书读坏了，太想做好人；我呢，又太骄傲，恩宠太深，所以我们三个人注定不能白头相见。不过也没所谓了，帝王家的孩子少有长寿的。

阿武含泪，高阳含笑。

高阳起身舞剑，边舞边歌：

月如吴钩，照我哀痛；
青霜遍地，譬如人生。
身为女儿，不得建功；
父母生我，父母杀我。
深宫厚养，不得善终。

阿武眼中滴下泪来。

高阳：一身所有，都是国家的，这只口脂赠你。

高阳紧紧搂住阿武，狠狠吻她，吻一下说一句：这是我的一腔哀怨……这是我的一腔爱怜……这是我愤怒的魂魄……

阿武在高阳透不过气的拥抱和连连重吻之下，几近昏厥，她的唇上有血，变得鲜红。

帝旗在无风的夜中垂着。

内殿。小李和长孙。

长孙：这是公主私狎妖僧辩机赐给他的宝枕。这是拷问公主一党的供状。这是驸马胞弟房遗直的检举信。公主逾制建造住宅，国丧期间饮酒歌舞，教唆驸马染指先帝宫人，公然聚众白日宣淫，种种放诞乖谬的行为简直骇人听闻。这是房遗爱与荆王私下交往的书信，信上说，如果国家有什么变故，还要寄望于叔叔。这是公主府搜出的锦衣，请陛下细看，这儿绣的是一个睁着眼睛的龙。

小李：说公主放诞乖谬，我信。说公主悖逆谋反，我不信。锦衣是先帝在世时赏的，这个事我是知道的。叔叔那里，我也常有书信问候，也说过客气话。逾制建造住宅，叫她拆了就是了。请舅舅拟旨训斥公主，罢黜房遗爱的一切名位。

长孙：房遗爱的名位先帝在时已经褫夺了。

小李：房遗爱斩立决，流放公主到黔州。

长孙：国之法度，不可亵玩。侍卫碰了皇帝的衣服都要处死，公主阴望天子的名位怎么可以只是流放，陛下是顾全一个家呢还是顾全国家？

小李流下泪来：公主是朕的姐姐，从小与朕骨肉情深，朕想求免她一死，可以吗？

长孙：荆王是陛下的叔叔，吴王是陛下的哥哥，我是陛下的舅舅，我朝自上而下，谁不和陛下沾亲带故，犯了法都可以免死吗？

小李哭泣不语。

长孙愤怒得帽子都掉了：先帝为戡平乱世，亲冒矢石，百死一生，阵前伤亡的将士比天上的繁星都多，哪一个不是大唐的骨肉？先帝也哭，每战之后悲不能禁，那是哭战死的士兵生不能还乡。前朝往事就在眼前，莫非陛下要学杨广小儿吗？ 今天陛下不下旨，我就到昭陵哭先帝去。

高阳从帷幕后闪出来，扇了长孙一个耳光。长孙面不改色。

一个风筝在天上飘，一个小孩举着线在宫殿曲折绵延的屋顶上奔跑。跑着跑着停下来，前面一个院子房顶插着皇帝旗。往下看，布满兵丁的红院子内，小李长孙带着一帮大臣坐在廊子上。

一排身穿红色囚衣的驸马和公子跪在当院——高阳的驸马房遗爱也在其中，每人身后站着一个黑衣刽子手，手拖长刀。

风筝飘在寺院下方。

阿武素衣在佛前摆上鲜花、供品，跪下以针刺手，滴血于碟中，蘸血抄写经文。

房遗爱大声道：我们不过是攀龙附凤的男子，留下来为国家尽忠效死不是很好吗？难道因为我们性情飞扬就要杀掉吗？

长孙一个手势，一片刀光闪，一排人头落地。

一道彩虹闪在阿武的眼眸中。

高阳剪了头，一身白衣，嘴塞木球，双手反绑被带进院里。高阳望着小李。小李黯然垂下眼睛。

长孙：公主与陛下一母同胞，陛下不忍加之以兵刃，法外施恩，赐公主自尽。

高阳口不能言，望着弟弟点点头。

小李的眼睛模糊了。

长孙：陛下。

小李的眼睛又清晰了。

一个太监搬来一把特制的椅子，让高阳坐进去，手脚脖子皆扣上铁环，使她一动不能动。用棉花给她塞耳朵眼儿，一手端起油盆，用一把银尺往她头上抹油。

阿武脸色苍白，全神贯注抄写，口中默默念诵。

高阳的头已被涂满了油，太监从她颅顶绕双耳挂一条线。拿一对竹管插进高阳鼻孔，然后合上她的双眼，往她眼皮上涂油。

另一太监蹲在地上在一铜盆里和石膏粉。

太监掏出高阳口中的木球。

监刑官：请问公主最后还有什么要说的?

高阳：唯愿生生世世不再托生在帝王家。

阿武的血点点滴入碟中，浸润笔锋。

太监拿石膏往高阳头上浇，石膏沿着高阳的脸流下来，高阳变成一个石膏像。太监把盆里的石膏倒在高阳头上，更多的石膏淌下来，高阳变成一个没有轮廓巨大浑圆的白球。两个太监用手托着石膏球，抽出埋线。

监刑官高喊：请公主拔去鼻管。

高阳手不能动。

太监抽出鼻管，掷于地上，用银尺抹着石膏堵住高阳的鼻孔。石膏冒了个泡儿。

一道彩虹再次闪在阿武的眼中，阿武脸白如纸，失血过多，仆地昏倒。

寺院地下墓室。阿武在给油灯添油，捻亮灯芯。每捻亮一盏油灯，可以看到一具摆在沿墙的石窟里的石棺，每具石棺上放着一个闭眼的石膏头像，都是获罪不能入祖陵的皇室成员。很多石棺都发黑了。

高阳闭眼的石膏头像放在一具新打的石棺上。

墓室里雕刻着佛像，有彩色壁画。壁画上绘着他们宴会、打仗、打马球的场面。

墓室深处传来轻轻的脚步声，一个高大的影子在墙上移动。阿武回身，石柱子旁站着一个蒙面人。

蒙面人：姐姐这一向还好吗？

阿武：……

蒙面人伸出双手迎上来，似乎要与阿武拥抱，在几步之内停下了，尴尬地改为搓手。

蒙面人：姐姐脸圆了一些，更好看了，看来这里的茶饭还合姐姐的胃口。——姐姐寡情到连一个字也不肯跟我说吗？

阿武：陛下也好吗？

蒙面人揭开面罩，是小李。

小李：我不好，很不好。——今夜来见姐姐，是想借姐姐身上的一样东西。

阿武：你如今贵为天子还有什么想要得不到的。

小李：不是的，不是你想的那样。我，只要借姐姐的肩膀靠一靠。说着小李哽咽了，像小孩子一样一头扑进阿武的怀抱，失声痛哭，因为太高大，姿势不舒服，哭着哭着单腿跪下去。阿武搂着伤心的小李，被他哭得自己眼圈也慢慢红了。

阿武：我能坐下听你哭吗？你这么用力坠得我腰都酸了。

阿武在高阳的石棺上坐下，小李的头枕在她的膝上。

阿武：世人都说天子乐，我却听到天子哭。

小李：没有地方，找不到没人的地方，宫里到处是人，都朝我笑，我睡在床上，床上也有人笑，沐浴也笑，我坐马桶也笑，我很可笑吗？

阿武：她们是盼望你高兴，你高兴，所有人都高兴了。

小李：可是我不高兴，我怎么能高兴，我杀了我姐姐。我杀她，她向我点头。说着小李满脸是泪。

阿武：点头是不怪你，她怎么会不知道你的心意呢。

小李：我难受。

阿武：心里吗？

小李仰起头，指着眼睛：这儿，姐姐一直在这儿向我点头，穿着白衣服，是小时候的脸。

阿武：你们家呀……

小李：从我坐上这个位子，已经杀了我元景叔叔，李恪哥哥，巴陵姐姐，高阳姐姐……

阿武：住口！

小李：他们为什么呀，反对我干什么？ 现在我一听说密报有人谋反，手就哆嗦，正吃着饭，筷子上的菜也会掉下来。

阿武：你会习惯的。

小李：我快疯了，心一直提着，做梦也放不下。我头晕，眼睛疼，今天晚上，我能住你这儿吗？

阿武：不能！你还要连累得我也活不成吗？

小李：我颁旨。

阿武：你？只怕你那个舅舅一搬出先帝来，你就不认识我了。高阳你还有个地方哭她，我你到时候连个哭的地方都找不到。你还嫌不够乱吗？

小李：就一次，像小时候那样。

阿武：我能再叫你一声弟吗？弟，别闹了。你来，我很高兴，这已经超出我的愿望了。我这辈子，已经过完了，前面再有多少月出月落，也不能再陪你了。你此刻不走，就是要我挂在这墓室的门梁上。

小李：也就是在你这儿我能再听到一声弟。你撵吧，我走，明天就叫人接你进宫。你看我说话算不算话。

阿武：把人弄来这里也是你们家的意思，刚住习惯几天，又要把人弄出去，我已舍身佛门，皇上的旨意我也可以不受。

小李：这不是诏令，是弟弟求你。

阿武摘下尼帽，一头今天寸头一样的短发。

阿武：今日见到你，我就知道再无安宁了。

阿武的卧房内。小李的裸背，阿武一行行吻下去。

小李和阿武在禅床上。晨光透进来，小李在熟睡，阿武一手搂着他，一脸疲惫的样子，望着前方，叹了口气。

帝旗在寺院上空飘扬。小王站在二楼暖阁窗前望着那片林中院落。

侍女：长孙大人又来催了，说百官都到了，都在等。

小王：告诉长孙大人，陛下昨天睡晚了，正在梳洗，马上就去。

长孙进来：你不要替他掩饰了，他昨天是不是又到淑妃那里去了，否则怎么会晚起。

小王想用身体挡住远处的帝旗，长孙还是机敏地看到了。

长孙：他一早到寺院干什么去?

小王：前天说是做了一个梦，梦见月亮瓦解坠落下又团圆升起，一天唠叨要请一炉香，也许是到庙里请去了。

长孙：这个孩子，做个梦也不安。

一排女人脚，一溜宫女在一道大帷幕前附耳听什么，其中还有嫔妃级别的。

帷幕后是大殿，小李坐在皇位上一脸疲倦处理国事。长孙斜坐于一旁，面前单放一桌一茶，与小李同在殿上。各大臣轮流上殿汇报工作，其余的就在底下一排排长桌后坐着边等边吃早餐，伺候早餐的太监拎着面桶、馍筐来来往往，给碗空的人盛面拿馒头。上去下来的人川流不息，吃面声不绝于耳。

小李：通知下去，朕刚即帝位，民情不明，从今天起每天接见十个刺史，政令中有对老百姓不方便和老百姓感到痛苦的事请他们详细说明白，当天说不完的，回去再上密封奏章。

御史：洛阳人李弘泰上表告长孙无忌计划反叛。

小李：有没有搞错！不必看了，着当地官员立刻捕杀这刻意耸动听闻的小人。

天文官：昨夜有彗星出现在西北。

小李：自即日起关闭正殿，朝堂议事改在偏殿。我的中午饭减两个荤菜，皇后以下都减。晚饭夜宴不设音乐歌舞。

许敬宗：西北有彗星，是突厥要灭亡的征兆。

小李：由于朕的不德，被上天责罚，怎么能归罪到小小的夷狄？况且突厥的百姓也是朕的百姓。

长孙：朝堂上设茶点，本来是先帝体恤百官，现在饭菜越来越丰盛，犹如宴会，有人吃完就犯困，有人还往家拿，现在坐在这里就能听到底下打饱嗝的声音，这些贪图腹欲的人的心里怎么还能装得下国家的事情呢。

小李：舅舅说的极是，以后朝堂不再提供早饭——现在就把他们的碗收走。

小李训斥一个藩王：聚敛钱财的方法有多种，你怎么就专挑挨骂的呢，那钱拿着舒服吗？朕赐每个叔王帛五百段，你就不必了，朕赏你两车麻，回去搓麻绳，作为串钱的绳子。

偷听的各宫宫女有的跑回去汇报，有的听得入了神。

蓝天白云玉阶黄门。受训斥的藩王出了殿外，对同行的许敬宗说：我侄子出了名的厚道，说不出这等羞辱人的话，一定是长孙那老东西教的。长孙窃夺君威，将来一定要灭族。

许敬宗：我缺这一碗面吗？这是皇上对臣子的关爱。每饭思君，我天天拿这顿早饭教育我们家孩子。

台阶下，薛仁贵带着几个宿卫军士兵站在那里，拦住藩王，很有礼貌地请他往另一边走，夹着他上了一辆捂得严严实实的马车。

寺院内。一滴露水从肥大的植物叶子上滴落下来。

阿武跪坐在地上拿着一支竹签仔细端详。

签上写着一行诗：拼却一生羞，与君尽日欢。

阿武：这不过是讲一个女子的心情，说的正是你呀。

对面蒲团上坐着小王。

小王：是啊，脱去霞帔和青衣，我和姐姐也不过是两个女人，女人的故事女人才懂。女子为爱不顾名节，在上古的时代也是为人赞叹的，其奋不顾身可与行刺君王的侠士媲美。

阿武：宫里真是一口可映天日的池塘，一只飞鸟的影子也历历在目。

小王：那么多人，可不都闲着，眼睛只盯在一个人身上。那个人也长着尾巴，走到哪儿都翘到天上。

小王举起一根葱一样的手指，做旗杆状。

小王：我再心眼小，也小不到姐姐身上。宫里别的不多，就是美人多，我要善妒，早嫉妒死了。越是这种时候才越显出我的妇德呢。

小王可爱地笑。

阿武也笑：你小时候就会说话，当了皇后口齿更伶俐了。

小王眼圈一红：我也就剩在姐姐跟前说些巧话了。

阿武：还是怀不上吗？

小王：成日连个人毛都摸不着，我跟谁怀去？ 别的院里倒是噼里啪啦地生，跟下小猪崽似的。

小王撒娇：姐姐还拿我当亲人吗？

阿武：这话可是说颠倒了。

小王：小的时候进宫玩，一堆大孩子，就姐姐疼我，这儿（指心口）——都记着呢。那位，别看嘴里不说，我也知道他心里想的是什么，一天到晚绷着个脸，一见佛龛香炉就失魂落魄。与其这么隔着想，不如姐姐就便过来，我也多个贴心的，凡事——谁愿意一天到晚猜完这个猜那个。

阿武眼中含泪：你们两口子，可着满天下的好女孩挑还不够，还轮流来烦扰我，天子家再好，莫非天下所有女子都想登那个门？

小王：姐姐别动气，都知道姐姐心性高洁……

阿武冷笑一声：越说越不像话了。我跟高洁二字还有什么关系，过去就是在一汪泥水里，现在也不过是刚踩上一块干净的砖地，别的事情不敢说都看得清楚，自己该摆在什么地方，心里倒明白得很。妾身虽如落叶，却也不能才辞秋阳，又上枝头。

小王：你说我图什么，就图一个他好，他好，我就好。我也看出来了，我是个不招人待见的，外人看着，以为我还不定怎么作威作福呢，我却不知这一生葬于何地。有时夜里孤身醒来……

小王抽抽噎噎地哭起来。

殿上。一个持杖的礼兵进入殿中，后面跟着国家外事活动的全副仪仗。

突厥可汗在下面磕头舞拜，呈上贡单。

小王在帷幕后面偷听。其他各宫的宫女看到她在这儿，都止步于庭前。

长孙：想当年高祖皇帝为万民向突厥的可汗称臣，先帝深以为耻。今大突厥的可汗当庭向皇上磕头，先帝心中的耻辱也就算洗刷了。

小李：退回贡品，赏铁万斤，谷种十万斤。

长孙：铁不可赏，铁是可以打兵器的。谷黍也能使士兵吃饱有打仗的力气。请陛下改赏十车珍珠。

许敬宗：江夏王李道宗，蜀王李音，左骁卫大将军驸马都尉执失思力与高阳房遗爱一向交好，相率偕游。房遗爱在狱中还去看望，赠以酒食，诗歌酬和，诗中多有怨望不平之气。高阳房遗爱伏法后还在酒醉时多次散布说，陛下即位，未见一寸拓土辟疆，家人亲戚倒杀了不少。身不是公主一党，心也是公主一党。这是臣闻讯抄写的诗稿和臣与他们同饮后秉烛记下的详录。

小李：酒醉说的话也可以治罪吗？

长孙：父子有谐谈，君臣无戏言。

小王迈出大殿后门，站在台阶上轰那些宫女：去去去，都在这儿瞎听什么呀。

大雨。

后宫。雨声敲窗。遍地烛光，两只白嫩的手叉着蛇一样窜行——小王和小萧半醉着搂着跳舞。其他嫔妃在一旁或坐或卧，百无聊赖。

小萧推开小王：没有音乐，这么干跳也没意思。我们还是饮酒吧。走到案子边，拿起长把勺子舀起一勺酒站着叉着腰喝，又把勺中酒举着递给小王，拿眼角四处瞟着找小李。

小李搂着一个怀孕的年轻妃子坐在腿上，听她的肚子。

一个宫女含笑走过小李面前，拿眼睛一眼一眼瞟小李。

小李：你笑什么？

宫女：没笑什么。

小李：你回来你回来，你告诉告诉我，你笑什么！

宫女哭丧着脸：真的没笑什么。

小李把怀孕的妃子从腿上放到一边，站起来，指着宫女：你是四川的吧，你别变脸，你给我站在这儿一直笑下去。

小王闻声赶过来：又怎么了？ 示意宫女离开，对小李：她不是笑，她长的就是一个笑脸。

小李：这都是你调教的好人，你很会调教人，你给我找一个会哭的来，我今天要看人哭。冲周围宫女喊：你们贫不贫呀！

周围宫女纷纷避闪。小王向小萧使眼色。小萧不理，自己靠着案子盯着小李喝酒。

小李指着小萧：你就喝吧，成天跟个醉猫似的。

小萧扑哧一笑，唱：宫阙嵯峨兮，噫！美人如云兮，噫！天子不乐兮，噫！一拧身，走了。

小李躺在温泉里，身边泡了一圈宫女。

小李下巴点一胖姑娘：你，给我唱一个你们老家的歌。

胖姑娘下巴滴着水，语不成腔地唱：我们河北好地方呀……

大雨如注，河水漫出河堤，一片银亮向城内流去。

银亮的河水直冲到玄武门，守门的宿卫兵听到声音察看，一脚踩到水里，接着一个浪头把他打倒。其他的士兵四散逃走。薛仁贵泡在齐腰的水中大骂：这都是什么军人哪，天子有急难时自己却贪生怕死。

老薛爬到门上横木上，朝宫殿的方向狂喊：大水来了，大水来了，宫里的人快跑。

小李领着小王小萧一帮女的衣衫不整跑出寝宫，广场已成汪洋，浪头跃上台阶。小李呆呆望着大水，一声没喊出来，颓然向后倒去。女的一片尖叫。

太阳升起来，宫殿都泡在水里。水里漂着士兵的尸体。一匹马在游泳。

房顶上，湿淋淋的帝旗下，小李大睁着眼头枕在小王腿上，盖着女人的衣服。一帮女的嘴唇哆嗦浑身湿透地围坐在一旁。旁边的宫殿顶上也都是人，远远近近的树上也攀着太监和宫女。我们这才发现，皇宫的屋顶也有用茅草苫盖的，被水浸湿的草有的发绿，有的暗黄，有的已经发黑了。

远处的寺院顶白塔上，坐着一圈穿青衣的尼姑。

长孙带人划着船进来。

小李呆呆地望着太阳，太阳很耀眼，小王拿手挡住他的眼。

小萧：我抱他一会儿吧。

小王把小李交给小萧抱着，站起来捶着发麻的腿，对一帮女的说：谁要敢透出这里的半句——死。

寝宫内，处处有大水刚退的痕迹，宫女们在擦地和桌子，擦拭污浊满面的金玉器物。

长孙、小王一群人站在寝殿外起居室神色忧虑。

太医请完脉，从寝殿里边出来，看看四周，欲言又止。

长孙对宫女们：你们退后五十步。

太医：陛下不是不能说话，是不想说话。

寺院内也全是大水刚退下的痕迹。阿武跪在地上擦地。

一群女官在寺院住持老尼的陪同下捧着彩衣首饰和假发进来。

女官：皇后懿旨：阿武即日起蓄发，复着彩衣，候命进宫……每日膳食增添羊半只，牛油一斤，奶一斤，由御膳房拨给。赐绸缎二匹，假发十顶，会簪十对、玉佩十对……宫里的裁缝一会儿就来量尺寸。

彩虹映在阿武眼中，镜中的阿武身着彩衣，头戴假发，一脸盛妆，拿着高阳的口脂往嘴上涂抹，装扮神情恍若高阳。

小李面朝里躺在床上。一只女人的素手伸过来搭在他脸上。小李抓住这只手，紧紧攥着。

小李：我们家真不幸，亲人不像亲人，倒像仇人，放着好日子不过，老要生事。上次姐姐姐夫谋划反叛，已经伤透了我的心。现在叔叔哥哥们又要反了。我不想起床，这些事让我无颜见天下人。

身着彩衣，头戴假发，口唇晶亮的阿武坐在床头。

阿武：当初废了先太子，立你做太子，就没想到今后会有这些事吗？

小李：废也不是我废的，立也不是我立的，我都是最后一个知道的，我何尝未感到惶恐，也是辞不掉。何尝未想到会有很多为难，以为难在国事，谁想到家里这么多事，净跟家里这些人过不去了。

阿武：天子无家。我也是现在才体会到先帝讲这个话的心情了。

小李：先帝威猛刚毅，是从死人堆里爬出来的人，杀了建成伯父元吉叔叔后还到高祖皇帝爷爷那里，吮着爷爷的乳头跪哭了很久。我今天，想找一个乳头大哭一场竟找不到。

阿武：不杀不可以吗？四夷纵兵掳掠中原，残害人民无数，抓来的，自己求来的，也不是都赦了，都赏了，打发他们回去。自己家人，将无一个，兵无一双，关起来，关老了，不可以吗？

小李翻身坐起来，指着外边：你去对外面那些人说。我一个求情的字还没出口，满朝文武已经都给我脸色看了。天下人都可赦，唯独我们家人不可赦，赦了就是偏私不遵法度。我们家人都是鸡，正要一只只杀了以儆效尤。我很明白他们的心思，就是嫌我不是马上得天下，治国唯恐失之以柔，天子一定要人怕吗？

阿武：我倒想问一句，先太子李承乾为人暴烈，动辄鞭打下人至死，正是那无情残酷之人，先帝为什么要囚禁了他，改立你为太子呢？我听说，当初先帝说，如果立魏王泰为太子，承乾和治都不能保全；立治为太子，那么承乾和泰都可以安然无忧。你的仁慈宽厚正是先帝所看重的。江山易改，本性难移；这些个道理我们女人都懂，难道先帝这样的旷世英君倒不懂？先帝也有保全家人的心意啊。

小李这才注意到阿武身上的彩衣和头上的假发，一脸惊喜：你不做尼姑了？ 谁这么大面子说动你改了主意？

阿武：先说你的事，待会儿再说我的事。

小李忽然用鼻子嗅，凑近阿武的嘴：你搽的什么，这个味儿这么熟悉？

小王在帘幕后嘴一撇，走出去对外厅聚着的小萧等一群嫔妃说：没事了。

阿武：这还没多大事呢，你就躺下了，宽厚不等于见事躲，没主意。你是一国之君，混能混过去吗？你越不讲话别人越要讲话。我请问你，从你当朝以来，有没有一件事是你要办大臣们一致反对而你坚持办了的？

小李：没有，都是他们议完了，拟好旨，交我。我有不同意的，再议，他们不同意，这旨也没法拟，还不都是商量着办事。我能有什么事？我的事不就是天天坐在朝堂上听别人又出了什么事。我倒是觉得我这个皇帝像个三孙子，谁的事都得当成自己的事，办不好还要挨呲儿。以舅舅为首，动不动就跟我吹胡子瞪眼，有一次他还跟我拍桌子。

阿武：不许哭！怪不得他会跟你拍桌子。你还是太老实，高阳说你太想当好人，我看你是滥好人。下回他瞪眼你也瞪眼，你先拍桌子，你看他什么鬼样子。

小李：我不敢，毕竟是舅舅，起居郎就在左右。

阿武：你还怕后世的名声不好听，杀了姐姐杀叔叔，名声就好吗？你一次不镇住他们，这些人恐怕还要杀下去，宫内外他们想杀谁还不就杀谁，明天要杀我，你也只能同意，最多回来躲在被窝里哭一鼻子。

小李：这个我坚决不同意。

阿武：那你就明天到朝上去，说你不同意杀江夏王他们，说从今后凡是亲贵功臣不加杀戮。一个脑袋保住了，大家的脑袋才能保住。谁反对先杀谁。好色者死于色，好剑者死于剑，不都是这个道理吗？自己脖子不疼怎知道别人的脖子疼？

阿武说得眉飞色舞，小李看呆了：姐姐好像一个人。

阿武敛容搂住小李的头：你的心就像女孩子一样温柔，你要不生在天子家，一定是天下女儿盼不来的知己。

三个宫廷女乐手夹着装在布套里的琴鱼贯进入寝殿。不一会儿，丝弦之声从里面传出。

小王坐在外厅看着宫女一盏盏熄灯，有点冷清、黯然的样子。

后宫餐厅。晨光从上下窗户洒进来，鲜花怒放。小李拉着阿武的手沿着廊子一路走来，一路各嫔妃出来争着向小李问候，浩浩荡荡跟在后面，一片欢声笑语。

小王、小萧看见小李精神恢复，也都十分高兴。小萧拉着素节，让孩子往父亲身上扑。

小王：会办事吗？

小李嘿嘿笑，松了阿武的手，一把抱起孩子，亲个没完：用陕西话叫个爸。

素节：大。

周围人一片欢笑。

小王拉起阿武的手。倒是阿武有些局促，不好意思，退后半步，把小李身边的位置让给小王。

小王：没关系，今天是你的日子。

小李：同去同去，叫他们把各屋的饭都摆到廊子上，挑开窗子，人多吃得香。对小王：这时的笑声才是发自内心的。

内外通透看得到花园的廊子上，大家不分彼此围坐在一张宽大的台子旁，金碗漆盘银筷，粉面酥胸玉手，有挑面的，有喝粥的，有吃饼的，有伸着胳膊夹酱肉咸菜的，耳环摇曳，腕镯叮当。

阿武看到当年她和高阳一起游玩的湖泊草亭，忙低头喝汤，掩饰自己的伤感。

记录皇帝起居注的年轻的起居郎在一边念：已入感业寺为尼的先帝才人武氏奉皇后旨意蓄发，昨夜入宫。皇上在万年宫幸武氏。晨，帝与后、妃同进早膳。

小王、小李听着都露出不乐意的表情，阿武倒还坦然。

小李：这种事都要写吗？

起居郎：回皇上，必须的，否则皇子所出就没了根据。

小王：可不可以不要写得这么难听，什么先帝的才人，就你知道。

起居郎：回皇后，不能。特别规定要详细记录和皇上睡过觉的宫人身世。

小李：是不是废了你换个人也会这么写？

起居郎：是。将来这都是历史，不如实写后人倒要乱猜了，也未必省事——您以为呢陛下。

小李：好好，不要啰唆了，就这么写吧。

小萧：前度阿武今又来。

谁也没笑。

春花。

阿武独坐高楼远眺，神色凝重。

起居郎：皇上今日在太庙祭祀……

小李率众拜祖先，参观祖先事迹展览馆。

起居郎：皇上今日祭祀神农，皇上亲自在籍田耕种。

小李赤脚在水田里扶犁。百官纷纷赤脚下田，一片人喊牛叫。

起居郎：皇后率六宫嫔妃采桑，亲自养蚕。

小李和阿武、小王在群山环抱露水闪闪发亮的草地上踢毽子。你一脚，我一脚，十分默契。小萧在远处追孩子。

空无一人的餐室内，糕点面饭摆了一桌。

起居郎独自念起居注：皇上今日任命武氏为昭仪，在翠微宫幸武昭仪。

夏雨。

小李率众嫔妃登上城楼，楼下广场百戏陈杂，一帮胡人冒雨表演踢毽子。众人看得兴致勃勃，小李小王向楼下人民招手。小王招手叫阿武坐到她身边来，跟她挤着坐着，手拉着手。

起居郎：皇上对左右说，昨天朕登城楼，就有很多胡人踢毽子，好像以为朕很喜欢踢，所以踢给朕看。朕已经把宫里的毽子烧了，希望胡人断绝窥望模仿我嗜好的心理，以示警戒。皇上下诏令：从今日起京官和外州有人呈献鹰隼和犬马的话，以犯罪论处。

小李披着油衣带着一帮人骑马打猎，从水淋淋的树林里钻出来，天空乌云密布。

起居郎：皇上问谏议大夫谷那律：油衣要怎样才不漏水？谷那律回答：用瓦片做，一定不漏水。皇上很高兴，就停止了打猎。

宫内。小李与长孙相对而坐，起居郎执笔立于屏风后一高脚台前。小李向长孙敬茶。

起居郎：皇上问宰相长孙大人，听说各部门官员办事时互相看对方的脸色情面，大多不能做到公正无私。长孙大人回答：这种情形不能说没有，可是如果说完全徇私枉法，事实上也不敢做。至于说小小的收取对方的人情，这种事恐怕陛下也免不了。

马蹄声碎，小李的銮驾在夜色中山一样移动，扈从的枪刺寒光林立。小李、小王、阿武挤在一起颠簸着睡着。

空无一人的餐室内，起居郎念起居注：皇上前往风泉汤，后、武昭仪同行，当晚，皇上幸武昭仪。

宫内。小李与大理寺卿唐临对坐。起居郎一个剪影立于屏风后。

起居郎：皇上问大理寺卿唐临大理寺拘禁犯人的数目。唐临回答：现在狱中五十多人，应该被处死的只有二人。皇上亲问犯人：为什么听不到你们喊冤？犯人答说：因为唐大人处断的犯人，本来就没有冤枉的。皇上很高兴，叹息良久，说：处理大小案情难道不是都应当像唐临一样谨慎吗？

秋月。

御花园。小李与众嫔妃赏月演乐。小李吹箫，小萧弹琵琶，阿武在后面跑来跑去敲编钟，身体已有些笨重。小王站在前边指挥。宫女们戴面具在后面演习军阵。

起居郎：中秋夜，皇上作散曲《月儿高》，与后、妃同演于御花园。武昭仪有孕，生子弘。

起居郎：睦州女子陈硕真妖言惑众，起兵反叛，自称文佳皇帝。扬州刺史房仁裕和婺州刺史崔义玄发动部队讨伐，将她俘获斩杀了，剩下的党羽也都平定了。

小李忽然站起来咧着嘴笑着嚷嚷：我刚才忽然觉得自己小了。

起居郎：这一年大丰收，河南粮谷一斗两钱半，稻米一斗十一钱。新增户口一十五万。皇上问户部尚书高履行：隋代户口有多少？履行答：隋开皇中期，有户口八百七十万，现有户口三百八十万。

小李一手搂着小王小萧，一手搂着阿武和另一女的，呵呵笑，已经醉了，发出呃、呃的打嗝声，一伸脖，吐了。垂着头哭：此时乐，只是少了个同乐的人。

两个高大魁梧的宫女架着小李脚不沾地走。阿武跟在后面。

小李被高大宫女轻轻放在床上，脱袍拔靴。阿武在一旁摘耳环，除戒指。

坐在纱帘后的女子小乐队开始演奏慢曲。

月光下，和着乐曲，看不见小李，只见阿武像一条大鱼在床上游来游去，鱼游床帐东，鱼游床帐西。

小王趴在石桌上睡着了，醒来一身露水，漫天星斗。

宫女轻手轻脚在打扫房间，身影在寝殿外晃动。

小李和阿武仍在酣睡，一个向里，一个向外，各自蜷缩着，像在子宫里的两个胎儿。水盆、痰盂、乐器、首饰、衣冠绣袍散于一屋。

起居郎：皇上诏令：江夏王李道宗、左骁卫大将军驸马都尉执失思力同时流放岭南；蜀王李音废为庶人，安置在巴州；房遗直贬为春州铜陵尉；废了房玄龄太宗庙陪从受祭的地位。

立陈王忠为太子，赦免天下。

长孙、于志宁等人请杀雍州参军薛景宣，皇上不准。

黄昏，一帮宫女往回跑，广场上等候的车夫、轿夫一阵骚动。小李和长孙等大臣走出大殿。

小李：同样的事，我去别人那儿，是我累；我去她那儿，是她累。

众人一阵大笑。

冬雪。

密密麻麻的工匠们冒着风雪在修筑长安外城墙。

宫内。宫女们都换了裘皮小袄，不拿东西的就揣着手。太监们往各屋送炭盆，迎面遇到宫女就互相调戏一下，拿肩膀撞来撞去。

阿武院内，门窗紧闭，一个太监在用力敲门，高喊：皇上，皇上，该起床了。里边毫无声响。

太监无奈回头对长孙说：没辙，叫不起来。

长孙：你拿脚踹。

太监刚抬起脚又放下：这个还是大人亲自来吧。

床上，阿武大着肚子拿手指捅小李，小声：你争点气，一努劲就起来了。

小李闭着眼：再数一百下。

阿武：一、二……

皇后寝宫。

小王刚吃过早饭，一边剔着牙，看小太监们往窗台上摆花，一边审一个怀了孕跪在地下的小宫女，十分糟心的样子。

小王：这盆金橘送昭仪屋里给皇上看看。——你觉得你不说这上上下下能放过你吗？

管事的太监：起居注查不出皇上叫过她。

小王：饿她的饭，从今天起只给她水喝，什么时候开口什么时候再给她东西吃。

侍女：长孙大人来了。打起棉门帘。

小王挥手示意太监把小宫女带下去。

长孙低头从帘子下进来，比起前面出现的那个长孙已经明显老了许多，走路也微微喘了。

长孙看了眼小宫女的肚子：谁的呀？

小王：说的就是不知道，又不敢打，万一是哪位皇子的。宫里天天净这些事，不是这个肚子大了就是那个肚子大了，什么时候能有个办法把女的也骟了。舅舅快请坐，把火盆挪舅舅跟前近一点。舅舅早饭吃过了吗？今天的油糕炸得格外焦糯，舅舅的牙如何，要不要尝一个？

长孙：早就不能吃黏的东西了，牙都掉瓷了。你倒是个会给自己解闷的，又弄了这么些花，大冬天的，万木凋零，你这屋到处是盛开的花，要耗费多少人工和物力呀。

小王：舅舅又看不惯我们铺张了。我这几盆花才值几个，宫里养着那么多花匠，闲着也是闲着。我从小爱花，舅舅又不是不知道，可以不穿金踩银，每天一睁开眼，却是要这眼睛舒服的。

长孙：你是个实心眼的孩子，当初在你和你姐中选一个进宫，就是看中了你比你姐实在。实在是优点，可太实在了，就成缺心眼了。

小王眼圈一红：我倒宁愿你们当初定了我姐，我嫁一个寒微的书生，专心给他生儿育女。

长孙：又说孩子气的话。大有大的难处，小有小的悲哀，当真嫁入寒门你又不知如何埋怨爹娘舅舅呢。

小王：舅舅是专程到我这儿聊天啊，还是去那边顺路……

长孙：敲了半天门，一声不吭。一大帮人等着呢，这早朝现在每天都改成了午朝。两个人好可以，也不能好的不起床啊。昨天你们是不是又一起喝大酒了？

小王抿嘴笑：天儿冷，吃锅子，都喝了两口酒暖手，也没多喝，阿武身子重，不能久坐，没到后半夜就散了。

长孙：他就算长在那院了？长孙皇后的《嫔妃守则》就刻在后宫影壁上，第一要你们注意的就是不得私邀专宠。你这个皇后该劝说也要劝说，一旦宫闱中起了女祸，你也是首当其冲。

小王：帝王的情义再深有过半年的吗？都是一时之欢，何必去打扰人家。再说，阿武姐不同于别人，我对她怎么样她心里不清楚吗？我还是相信人心换人心的，虽说宫闱之中有风云，我要把每个人都当贼防着，这日子才真生不如死。

长孙：劝你读几本书都当耳旁风，做了一国之母一开口还是妇道人家的见识。那褒姒、妲己、赵飞燕都是石头缝里蹦出来的？你这样想，离你母亲哭你的日子不远了。

小王：好好，舅舅要是不放心，去寻一个功臣亲贵家有才艺的美貌女儿，过几天，那屋那位临盆，我送到皇上床上去。

长孙府。长孙翻看一本破破烂烂的石印小册子《秘记》。许敬宗半个屁股坐在椅子上，伸长手指其中的一页。

长孙：这个书怎么到你手里了？

许敬宗：民间贩夫走卒，早就在口耳相传，窃窃私语，我本以为纯系空穴来风，偶一探访，竟真有这本书，不免惊骇，再一窥望后宫情形，那书中所说取代李氏拥有天下的女帝武王已若隐若现，顿时遍体冷汗，就睡不着觉了。

长孙：这都是妖妄之言，天下之大，总有一些人吃饱了没事干，假装通鬼神，会掐算，站街骗些小钱还不够，还要给国家算命，干犯天道。你是个读书人，怎么也这么不自重，听人家一起哄，自己就疑神疑鬼了。那些无知的人，万事皆迷信，有的没的自去附会妖言，自欺以乐。都照他们说，不要出生最好。

许：是是，长孙大人说的极是，我这个定力呀比起大人差得不是一点半点。本来也是当做笑谈的，前天遇到太史令李淳风，胡乱聊起，他竟一语不发，面色沉重，并无半点视作笑谈的意思。我还听说先帝在时，此书已……

长孙：住口！ 你这个东探西探的毛病早晚要把自己脑袋探掉。这个书留在我这里，你出去不要同任何人讲，朝里第二个人问起这个话，我先办你的罪。回家睡觉去吧。

许敬宗唯唯诺诺，仓皇而去。

阿武屋。阿武在对镜化妆，小李斜靠床上歪着头看她，给她递这递那。

阿武看着镜中的自己：丑死了。回头对小李：你去别的屋转转去吧，老这么一天到晚混在我这儿，我也累，想歪着斜着躺会儿也不能，还要化妆。

小李：你躺着，我伺候你。妆带在脸上不舒服，一会儿洗了，我就是爱看你画眉瞪着自己的认真劲。

阿武描着描着眉，忽然难过了，眼泪多了一层。

小李：好好的怎么出来眼泪了，你不是爱哭的人啊。

阿武低头擦泪，继续描眉。

小李：怎么了？想起什么了？

阿武摇头，不语。

小李：最不喜欢你有话不说。

阿武：你听了别生气。我是想，现在是你对我好的时候，你对我不好的时候又是什么样儿呢？

小李：永远没有那个时候。

阿武放下一支眉笔，又拿起一支：有的。没有一个人和一个人永远好的。无人挑拨，恩爱夫妻时间长了，自己也就淡了。我见过白头到老的，没见过恩爱如初的。

说着一滴滴泪流下来，刚化好妆又脏了。

阿武扔下眉笔：不画了。

小李：你进过几天庙，看什么都太悲观了。

阿武：跟庙不庙没关系，女人的命还要进庙才看得清楚吗？只希望有一日，你不想看到我了，给我一间房子，一瓢水，一碗米，让我自己待着。——也请保全我的孩子。

小李低着头从阿武屋里出来，小王和小萧穿戴整齐站在廊子下看孩子们玩雪。

小李：你们这是要去哪儿啊？

小萧：不是说好了今天要去俪山洗温泉吗？昨儿喝大了全不记得了？

小李：你们带孩子先去吧。

素节攥了个雪球，一下打在小李胸前。

小萧呵斥：这孩子，没规矩。对小李：我们什么都能替你，就是不能替你做父亲。

一太监扛着一只鹿引着长孙沿着廊子走过来，长孙含笑问候后妃们。

长孙：雪后的天气最是清爽，应该多出来走走。这是我昨天打的一只鹿，雪后吃新鹿，是虎狼才享得到的口福。走近小李：陛下，能跟你说点事吗？

内殿。屏风后，起居郎刚要站到高脚台前，被一只手拉走。

屏风那边，长孙、太史令李淳风和小李坐成一个三角。

小李把《秘记》往桌上一摔：这不是胡说八道吗！

长孙：所以请陛下再下诏令重申：禁止民间私观天象；禁止官民私习周易紫薇推演天数命盘，并收缴此类图书；国家的卜巫占星等正当活动由朝廷指定官员专人进行。属于民间陋俗的诸如预卜吉凶、请神、巫术辟邪、乱立妖祠，一律禁绝。诅咒害人、私匿河图洛书、推背图、妄议天下兴亡者，斩；知情不举者，连坐，斩；随声附和者，连坐，斩；一律抄没家门，家人子女罚为官奴。散布妖言，飞短流长者，家财没收，流徙三千里，发往边疆当兵。

小李：拟旨，现在就发下去。气得我手直哆嗦。叫有司追查，谁起的头，最早造的这个谣，我跟谁近一点，谁的谣言就起来，而且如此恶毒——宫里的事怎么都传到市面上去了？

长孙：这股风是得刹刹了，都议论到天子家里来了。让老百姓讲话，他们讲讲就不正经了。但是……

小李：但是什么？一个个抓起来拷问，我就不信查不出这个人。

长孙：但是我劝陛下就不要追查了，这个风不是刚起，先帝在时，这个风已经吹进宫里来了，是旧话重提。陛下还记得李君羡是因何事坐罪被杀，抄没全家的吗？

小李：他不是结交妖人图谋不轨获罪的吗？

长孙：因为他所封县邑和官位称号上皆有个“武”字。一次先帝和大家喝酒行令，要大家说出自己的小名，他的小名叫“五娘”。当时先帝还很惊讶，开玩笑说，什么女人，这么勇健。当时我也在场，看到先帝笑过之后一脸厌恶。

李淳风：那时太白星屡次在白天出现，我占卜的结果是：女皇兴起。占卜结果报到先帝那里去时，先帝手里正拿着这本书。先帝问我：秘籍所说的事，真的会发生吗？我回答——陛下真的想听吗？

小李：说！

李淳风：我回答：臣观察天象，审视历数，这个人已经在陛下的后宫里，是陛下身边亲近的人，从现在起不超过三十年，就会称王天下，把李家的子孙杀得十去之九。征兆已经形成。

一阵微风吹进殿中，窗户排扇一阵哐当哐当响，四周的帷幕也微微起伏。天花板上的日影移动，屋里暗下来。

光影移到帷幕后跪坐听候吩咐的太监、宫女脸上，顺着他们低垂的视线，只见一件华丽的皮毛大氅拖着地走过。太监宫女们更深地低下头，俄顷，又是一件毛色斑斓的大氅走过。

小李：先帝怎么说？

李淳风：先帝说，把所有姓武沾武字的女子都杀掉，怎么样？

小李：……

李淳风：我答，这是天命，非人力所能抗拒。那个人不会死的，只是多杀些无辜的人罢了。而且从现在起三十年，那个人已经老了，或许还有些仁慈之心，为祸宫廷可能还轻点。如果现在把那个人杀了，上天可能降生更年轻气壮的，手段更辣，怨恨更深，那时恐怕陛下的子孙就没有一个能活下来的了。

小李：先帝怎么说？

长孙：先帝让后宫全体嫔妃出家为尼。

皇后的銮驾小心翼翼地在俪山至长安的雪路上移动，一匹快马追上銮驾，銮驾掉头回返。路上有部队在跋涉行军。

小李掀帘进了阿武屋，炭火的火光映红了屋子，衣架上挂着毛皮大氅在火光的映照下图案斑斓鲜动，似乎活了。阿武坐在床上捧着肚子，脸色铁青，似愤怒似痛苦，十分骇人。

小李：怎么了？

阿武瞪着空虚：难受。她不让我睡，一直在踢我。

小李：想吃点什么？

阿武：什么也不想吃。

小李：不吃怎么行，肚子里的孩子也要吃。我已经叫他们炖了羊汤，在火上温着呢。

阿武忽然委屈起来：就是想吃碗我妈做的刀削面。

小李：叫你妈来，立刻就让人传去，今天先凑合吃碗王师傅做的。

阿武：我要死了。

小李：别瞎说。

阿武望着空虚，眼中藏着深深的哀戚：我看到了，看到她骑着马，向我奔来，那是树林，那是湖，我看不见你……

小李：别瞎说。

皇后的銮驾在宫门口停下，裹着华丽毛皮大氅的小王从车上下来。卫士们左手按剑单膝伏地敬礼。

皇宫内外各门，已经戒严，增加了骑马的长枪卫兵。从大殿到后宫沿途可见岗哨，领兵的将军挎着金漆腰刀站在雪地里。

小王带着一群侍女沿着暖廊疾走。

厨房。剃着光头屠夫一般的王师傅在炉火的映照下拿着面团往滚水锅里削面。

一个宫女退着关上一道道暖廊连接的宫院门。在她相反的方向一重重门处也有一个宫女在关门——那是镜子。

镜子里，四门紧闭的厅堂内，长方桌上，一碗雪白的面，一双竹筷子，小瓷勺，几碟油卤，粉绿小菜放在一个黑漆托盘里。旁边放着一玛瑙小瓶。灯从四壁的脚打上来。

小王伸手拿起小瓶，长长的指甲描着山水彩绘。小王脸上敷着厚厚的白粉，唇上点着一点红，定睛注视着小瓶。

长孙：无论如何也不能让皇上背负杀害女人的恶名。

小李：大唐能挥刀的战士何止百万，马蹄踏起的尘土一直刮到长城以外的草原和戈壁，一个手无寸铁的妇人就能使山河变色，皇孙凋零，我怎么也想不通这个道理。

长孙：手脚冻坏了，可以一刀割去；咽喉里长了肿块，刀全看着。女人在地如水，升天则为龙云，可以降淫雨、冰雹、大雪，摧万木。这是睡在您——陛下身上的女人呀。

小李：一个农民娶了媳妇，怀了孩子，都知道好好待她，吃点好的。朕却在这儿商量怎么弄死她。

长孙：话不是这样说，谁和昭仪有仇啊？我看着她长大的，也一直当自己孩子，是她赶上了，谁让她姓武呢。陛下千万别把这当成个人恩怨，好像咱们是和哪一个人过不去。

小王拔开塞子，一股白烟从瓶口逸出，她连忙把小瓶塞上。

外面传来凄厉的一声号叫，小王一激灵，一把将小瓶攥在手心里，抬头。外面的叫声一阵高似一阵，是阿武在叫。

门开了，一个宫女进来禀报：昭仪胎气动了，要生了，身下已经见红了。

坐在黑暗中小李站起来，神色严峻：孩子姓李，还是要生的。这个事先放一放，再看，喊动喊停限在我们三人这个范围。李淳风那里，也请舅舅去打个招呼。你要管一管了，皇后，这个宫里现在已成透明的了。

小王：我看外面宿卫营的兵已经都出来了。

长孙：那是惯例，正常部署。

阿武卧房。婴儿的啼哭声。两个宫女正拿着一杆大吊秤在称孩子的重量。阿武躺在后边暗处的床上。

产婆：是位公主。

小李从产婆手里接过裹着襁褓的婴儿，举着端详。

小李：像谁呢？也不像妈妈。

产婆：也不像皇上，说句你们不爱听的话，像姑姑。高阳也是我接生的，那眼睛和嘴和高阳一模一样。

小李一下有点激动，晃着孩子：你不是发誓不生在帝王家吗，怎么又来了？回头对阿武：就叫她阳吧。

阿武使劲点头。

侍女：皇后来了。

小王领人拿着很多纸包进来，一五一十跟侍女交代：这是红糖，沏水喝的；这是我妈托人专从山西带来大枣，熬小米粥的时候可以放点；这是山东进贡的阿胶，我一直没舍得吃……

然后一张笑脸张着手奔向孩子：快让我看看孩子。

晨。一把竹扫把在扫雪，一直扫到一双军靴脚下，军靴挪开，扫把继续扫。宫前广场上，很多太监在扫雪，士兵站成一条线，还在警戒，但是重装骑兵已经撤了。

一个宫女打开门，一道道开门，阳光从南面的高窗射下来，像无数光的箭镞，随着她的打开每道门，就有一些衣着斑斓的亲贵命妇进入画面，聊着向同一方向走。越走人越多，音乐越明亮、越宽广、越悲怆；说话的声音也越嘈杂。

宫女推开最后一扇门，是大厅，站满朝臣贵妇。他们手里都拿着吃的喝的，在那里笑，面色红润，嘴上泛着油光。

阿武抱着婴儿坐在一张向阳的椅子上，对面三个宫廷画家在给她和婴儿画像。阿武在笑。

三个画家，一个画的是真实的阿武全身像，瘦且疲惫，抱着酣睡的婴儿在笑；一个画的是时尚的阿武全身像，富贵且慵懒，孩子睁着眼睛望着画外；一个画的是阿武头像，肥胖有尊严，凝视空虚，没有孩子。

小萧指着第三人所绘头像说：这个好，胖得像。俩腮帮子最好再垂一点，才显出我朝仕女的风范。

阿武：也没有那么富态。

小萧：现在不胖，将来也不胖吗？对那二位画家：你们可以不画了。

奶妈接走了阿武怀里的孩子。阿武站起身来招呼大家：吃好喝好啊。

长孙在远处端着酒杯含笑向阿武躬身致意，他好像喝过了来的。

阿武一人沿着洒满阳光的暖廊漫无目的地走，间或推开一间宫室的门，往里看上一眼。

她已经走过了一间宫室，又退回来，掀帘往里边望。

宫室里一片漆黑，只有掀开的帘子透进来一束光，宫室里都是桌子椅子，四面有帷幕，没有人，但是隐约有人窃窃私语。

忽然一个大舌头的粗嗓门在帷幕重重的宫室内响起：到底要动谁呀，操他娘就这么不明不白地等着。

阿武推开隔壁宫室的门，薛仁贵等几个带刀的宿卫军将领姿势很不雅观地或站或卧在喝酒聊天，桌上有吃剩的饭，一见她都不说话了，懒洋洋地看着她。

阿武退出。

阿武推开再隔壁的宫室门，小李、小王坐在房间深处，小王似乎哭过，一见她也都没话了。

小李：那边怎么样啊？

阿武：挺好的。

小李：我们这儿说点事，一会儿去找你。

阿武：哦。低头后退。

小王勉强朝她一笑。

阿武来到暖廊上，看到长孙一闪进了将军们等着的房间。

将军们一齐站起来，向长孙行拱手礼。

长孙：都坐吧。我让他们送酒，都送到士卒手里吗？

薛仁贵：天气寒冷，士卒们在街上，穿着铁衣，都冻坏了。京里现在谣言四起，如果大人这里还没有消息，是不是先让兵们回营。和尚应该关在庙里，散在老百姓家门口，日子长了，就有钻进去的。

长孙：你急什么？消息很快就会有，一会儿皇上亲自来向你们宣布。

隔壁的门开了，小李走进来。军官们伏地行礼。

小李：都起来吧，警戒解除，宫内外加派的兵马回营。赏宿卫左右营牛十头，羊百只，酒两千斤；郎将以上另赏金豆一箩银五百两歌女一名。快过年了，都回家好好歇着吧，这几天你们在宫里日夜值守，也都辛苦了。

将军们挨个给小李趴下谢恩，佩刀叮当，言语粗鄙：都有呢，家里不缺什么……也没干什么，净让皇上破费了。

小李只是笑，回头找人：李淳风，李淳风来了没有？

小王从暖廊上的门出来，沿着廊子走，侍女们冒出来，不远不近地跟着。她看到一扇宫室的门虚掩着，停住脚。

帷幕重重空无一人都是桌椅的宫室内，小王下令：起帘。

侍女们拉起所有帷幕，隔壁小李和将军们一起回头。

另一道帷幕后跪坐着一排听喝的太监和卫士也都暴露在光天化日之下；房都通了，大家面面相觑。

小王没精打采地转身离去，帷幕徐徐落下。

鼓声阵阵，像战士临阵的脚步；胡琴飒飒，似无数面战旗在风中吹舞；金钟迸响，犹如刀戈相撞。

宫前广场，雪花在喷着火的铜柱上飘飘而下。大型军乐团在演奏《秦王破阵乐》。宿卫军战士头戴面具，手舞刀枪，穿梭跑位，表演模拟战争场面的大型团体操。

殿上廊下，摆了一地火盆，花团锦簇的皇族、贵族的男男女女带着孩子在边嗑瓜子边看。小孩跑上跑下手拿礼花到处放。长安城内，也有密集的鞭炮声，火光不时照亮远处下雪的夜空。

皇上的位子空着。小王坐在那儿出神，显然心也没在看表演上。小萧边看边跟阿武叽叽喳喳说着什么，嘴不屑地一撇一撇的。

长孙摇头对褚遂良说：这个舞老不练，眼见着有些生疏了。

小红院内，廊子上跪着一排身上落满雪捆着塞着嘴的太监和宫女。窗内灯光下，只见那两个杀手太监在忙乎。

内殿，薛仁贵把许敬宗带进来。

许敬宗头叩在地上不起来。

小李：你说，这个书是谁给你的?

许：不能说。

小李：那就别说。向扶刀站在一旁的薛：带他走。

许抬起头：请陛下赐纸笔，臣可以写。

许站在案子前，俯身工工整整写下一个字：王。

宫前广场殿上，一个小丑在表演，呀呀一口奶腔学孩子：从现在开始，你只许对我一个人好……殿上的人笑得前仰后合。有太监来送一碗碗饺子。小王起身离席。

小王进了殿内陈设着鲜花、玉器，熏着香的房间，两个侍女为她打起绣花帘子，里面是一只金马桶。侍女为小王宽衣解带，小王进去，放下帘子。

帘子忽地打开，小王坐在马桶上，望着来人。

小李：对她，你用不着下这么狠的招儿。

帘子带着风放下，小王坐在马桶上，无比拧巴。

宫城的墙头开满累累花树。

后宫小广场，晚风和煦，晚饭后，宫里的人们一家子一家子在遛弯儿，有人放风筝，有人放鸽子，有人端着碗追孩子。各宫的女人们都在这时候秀衣服。阿武领着弘儿也在散步。她又怀孕了，其他各宫的女人眼神都有醋意，仰着脸不看她，姐姐妹妹亲热地喊，假装没她这人。

一个官人打扮的贼上了房，一个太监在后面边喊边追；一会儿又冒出几个兵在后面追；贼蹿墙越脊，更多的兵从四面八方堵他。广场上的人都踮着脚抬头望。很快兵摁住了贼，把他拧下去不见了。

这边弘儿捡起房顶蹬落的一个瓦片，握在手里来回转身子，一不留神松了手，瓦片飞出去。

哎哟！小萧怪叫一声，捂着脑袋站起来，刚要伸手打又放下，怒骂：你干什么——要杀人呀。

弘儿仰脸看着小萧，嘴一撇一撇地要哭。

阿武三步两步跑过去道歉：对不起对不起太对不住了。也斥责弘儿：怎么搞的！

小萧：不是我说你，这太危险了，这是打着我了，打着个孩子，真要出人命的——瞧我这后脑勺起多大一包。

掉脸又骂弘儿：那是你玩的东西吗害人精有人管没人管呀你？

阿武：流血了没有，要不要请太医？真太对不住了。

小萧一躲阿武的手：少碰我。

素节跑过来，对弘儿举着一只巴掌：打！

阿武抱着弘儿进屋，弘儿在她怀里伤心地大哭。小李正躺在床上看书，女儿阳子睡在一边，见状忙坐起来。

小李：怎么了？

阿武：没事，他把人家打了，自己吓哭了。把儿子放在床上。奶吃了吗？

小李：奶妈刚走。来来，到爸这儿来。搂着儿子：把谁打了？

阿武：捡了个瓦片，砍人家淑妃头上了，让人家这顿骂。——没尿吧？

小李：刚摸过，干的。孩子嘛，你跟人道不是了吗？

阿武：道了，能不道嘛。上床给女儿翻了个身：这么小孩子睡觉怎么还打呼噜？别老让她仰着睡，头都睡扁了。

小李：好了好了，没事了，不哭了。看阿武：怎么孩子好了大人又哭了？

阿武：她们都挺恨我的。

小李：没人恨你，前天三姨姥姥还跟我夸你，说这宫里就你人缘好，上上下下没见你跟人红过脸。

阿武：我知道，我觉得出来。

小王屋里，炕上地下坐了一屋子人，有嫔妃有管事的太监，小萧也坐板凳上。

太监：贼是左武侯引驾卢文操，家已经抄了，宫里前些日子丢的东西搜出来不少。

小王：引驾不是捉贼的吗，怎么自己当起贼来了？赃物的单子呢？拿来我看看。对小萧：孩子，一时不小心，你跟孩子较什么真儿。

小萧：这是孩子干的事吗？没人教会吗？你摸摸我这包，隔着这么厚头发，现在我还头晕呢。

小王笑着摸了摸小萧的头：是够不小的。

小萧：没破幸亏呢。这才是昭仪，再过两天，我看砖头得扔我屋里去了。

小王：别说那些没影的话。——前个内厨房少的那十斤香油没在上面，这宫里还有贼。对小萧：你跟我说也白搭，那位不归我管呀，你也就在我屋里唠叨唠叨得了，别出去乱说去，回头再惹得人家不乐意。——小库房丢的那几套床围子也没在上面。

小萧：我就知道你是个摆设，我找那做得了主的说去，换我们孩子打了她呢？

小王：别走啊，一会儿咱这牌局就开始了。

小李屋外间。小萧包着个头坐在那儿抹眼泪。

小李：咱能别闹了吗？一天到晚都是这点事，我每天上朝够累的了，下了朝还得听你们这些事。

小萧：我是闹吗？心里委屈，说说都不行吗？

小李：你不是闹？他不是个孩子嘛，又不是成心的，砍破了吗？你包了个头，大半夜跑我这儿来演戏。怎么着，你再拿砖砍他一下——要不你砍我。

小萧：我是这意思吗？我不过要你提醒她没事得管孩子。今天算碰着我了，事儿少的，赶明儿碰着那事儿多的……

小李：你事儿少，数你事儿多！我还不了解你？事儿少的有一个，你们挨个告她的状，她从没说过一句你们的不是——都忍了。

小萧：那是她——虚伪！

小李：你也学学虚伪，你们都虚伪一点，我也太平。别跟我这儿装直肠子。

小萧：陛下，你变了。

小李：我变什么了？我还是我，是你们看人好了，一个个眼热了，一齐使绊子——你们一贯不都是这样吗？我提醒你，还有后边调唆你的人，吃醋正常，心眼千万不要脏，千万别把咱们之间这点情分搞薄了。

小萧：谁指使我？没人指使我。

小李：嘁。你毛巾掉了。

后宫小广场。小王盛装陪同新罗女王检阅宫廷女官组成女子仪仗队。嫔妃们依序位列队一旁，新罗女王与她们一一问候施礼。

御花园湖畔草地上，小王和小萧陪同新罗女王还有一大帮外国使节夫人在宴会，同时观看由女官队和皇子公主队进行的马球比赛。

小王和阿武聊天，弘儿靠在阿武怀里，素节坐在小王膝上。小王指着一盘蜜三刀叫一个宫女端去后边送人。小王一个劲招呼外国孩子吃东西，看得出她很喜欢孩子。

小萧和女王聊得热闹，窜过来说了句：人家外国净女王。拿了个糖耳朵，又去和女王聊。

小王：你是不是累了？累你就先回去，不用在这儿陪着。

阿武：没事，还能再坚持一会儿。

小王：老没见你们家女儿了，会喊爸妈了吗？

阿武：哪儿那么快，还早呢，会笑了。

小王：一会儿散了跟你去瞅瞅。看阿武肚子：这个是男孩女孩？

阿武院内，女人们的笑声从屋内传出来，小王抱着婴儿从屋里出来，阿武、奶妈跟着。

小王：噢，噢，我们真沉啊，我们出门了，我们笑一个。

婴儿手伸着，在阳光下完全透明了，呀呀咿咿地出声，忽然笑了。

小王：她真笑了，阳子笑最好看。

阿武：她一出门就笑，在屋里怎么逗都不笑，也奇了怪了。

小王把脸埋在婴儿身上嗅：真好闻，奶味真好闻。

奶妈：皇后是喜欢孩子，好闻什么，屋里跟牲口棚似的。

小王：过继给我吧，你都三个了，我也不要男孩，就要一个姑娘。

阿武光笑不说话，握住婴儿的小手。

小王把孩子放回摇篮，小孩在摇篮里乱蹬腿，小王拿手让她蹬。

小王：真有劲。你们说她像高阳，还真有那么点，怪不得皇上喜欢。

奶妈：皇上一回来就抱着不撒手，跟孩子说起话就没完，她懂什么？就知道尿。皇上这么疼孩子，我倒要替我们阳子讨个封号。

阿武嗔怪奶妈多嘴，拉了她衣角一下。

小王：缺什么就到我那儿拿。我那还有两匹纱，再给孩子做两身衣服。

阿武：够呢，孩子还长呢。

小王：你是你的，我是我的。捅了一下阿武：羡慕死你了。

小李在院里：你们先都吃饭去吧，一会儿再来接我。

小李打帘进屋：人哪？怎么一点动静都没有？

阿武迎上来：嘘，小声点，孩子在睡觉呢。

小李放轻声：她倒是好福气，醒了就折腾，躺下就着。

小李蹑手蹑脚走到摇篮前，孩子脸朝内蒙着被子一声不出地躺着。

小李看着看着觉得有点不对：你们给她捂得这么严实，她喘气怎么办？拉下一点被子，这才看清小孩完全脸朝下。小李连忙把小孩翻过来，小孩转过来的是一张惨白的脸，嘴唇青紫，已经没有呼吸了（这是典型的爆发性心肌炎的症状，但在当时没有解剖条件无法诊断）。

阿武一把抄起孩子，抱在身上拍，倒过来拍。再看小李，脸色骇人。

奶妈奔过来：怎么了，孩子怎么了？

小李一脚踹在奶妈身上：快去传太医！

阿武越拍越用力，几乎把孩子倒拎着，自己也像孩子憋青了脸，一个字也喊不出来。

小李：你们他妈干的好事！然后安慰自己：先别慌，别乱。一把抢过孩子，抱在肩上：我来，我拍，我劲大。用力拍孩子：阳子，你哭一声，你来了就别急着走，你哭一声！太医呢？怎么还不来，我杀你们全家！抱着孩子冲了出去。

一院套一院的后宫，间间房屋灯火通明，有人吃饭，有人弹唱，有人做爱，有人寂寞，有人上吊。一个消息像一阵风刮过去，正在做自己事的人都停了，走门串户，交头接耳。

小李跪在自己的床前，床上放着死去的孩子。

太监：陛下，皇后求见。

小李：……

太监：昭仪求见。

小李：……

太监：长孙大人也等在外边。

小李：……

太监：长孙大人请陛下节哀，说公主的棺木已经准备好多时了。

小李：滚！

小李脸色苍白走出寝殿。太监们进去抬出蒙着布的孩子。

长孙等面带忧戚躬身行礼。

小李微笑：杀李家子孙的人已经动手了。

薛仁贵上前：人都拘齐了。

内殿。小李坐在当中，老薛打帘。第一个进来的是阿武，一见小李就流泪，不说话，小李沙哑着嗓子说：你回去歇着吧。

第二个进来的是太医。

太医：婴儿送来的时候已死了一个时辰了，完全没有心跳，也不是投毒，也没有扼痕，可能是睡姿不好，一时窒息了，无人发觉；孩子太小，无法自己翻身，可能是别人给翻的身，臣不敢妄断。

第三个进来的是奶妈：下午皇后来过，逗了半天孩子。

第四个是侍女：下午皇后来过，之后孩子就睡了。

第五个还是侍女：下午只有皇后来过，之后再没见人。

第六个是皇后的侍女：皇后昨天一天都很高兴，和淑妃打牌到三更，吃了夜宵才睡，这会儿还没起呢。

小王慌慌张张，头鬓不整地进来，坐下就唉声叹气：我才知道，怎么会出这种事？我够注意的了，平常躲都躲不及，话也不敢多说一句，偏偏昨天上赶着往那院去，凑那个没趣，我太倒霉了。

小王垂下泪来：陛下不会怀疑是我吧？我再怎么也不会打一个孩子的主意。要是我，天打五雷轰！

小李：谁说是你了？你怎么知道孩子不是好死的？

小王：陛下这么说，我真是跳进黄河也洗不清了。

小萧：我倒是知道的，谁弄死的孩子。还用猜吗？只有一个人有机会，也有好处，你想啊，皇后一旦被废，下一个轮到谁呀？反正不是我。

小李：你混蛋！

阿武站在床上，从躺柜里往外搬衣物，床上摊了一片。

小李进来：你干吗？

阿武打包袱：回感业寺。

小李上来一把扯散她的包袱：这是你想来就来想走就走的地方吗？

血写的经书和那管口脂掉出来。

阿武又把包袱打起来。小李又抢，她把包袱一把抱在胸前，两个人互相拉扯。

小李：你别胡闹！

阿武抬起头，眼底出血：她们说是我……

小李：不是你，我知道不是你……一把抢下包袱。

阿武哀恸地向小李伸出手，小李一把搂住她，手臂上的绸衣立刻被大颗大颗的泪打湿透了。

阿武：他们杀了她两次。

帝旗飘扬。宫门城楼上，小李头戴皇冠率百官迎接检阅征西的军队凯旋。铺着青石板的大街扫得十分干净，泼了水，两侧的人民鸦雀无声。

远远传来男声齐唱的歌声：将军三箭定天山，壮士高歌入汉关……

歌声中，旗如林，刀如林，部队出现了。

一个胡须花白的老将骑着一匹瘦马走在前面，擎着一杆褪色破烂几成布条的将旗。

部队的旗子都残破了，刀锋上满是缺口；将士们衣衫褴褛，满面征尘，无不带伤，步履蹒跚，仍旧挺着胸，排着队，唱着歌：哥哥百战死，弟弟十年归，父母相见不相识……

两边的人民都哭了。

小李站在城门楼上泣不成声。百官的衣衫也都被泪水打湿。

一支支带着火的响箭射向天空，鼓声如雷。

两个提刀的战士提着一个赤膊反绑的藩王跪在城楼下；后面战士们提来一排排藩臣藩将跪在地上；后面的囚车上战士们还在往下卸一个个俘虏；再后面的车上还有藩王的妻妾。

小李：俘虏献给昭陵，赦了他们的死罪，连同所部归顺的人民安置到江南各州空旷无人的地带。出征将士每人赏一级功勋，家属免徭役；功勋特著者加授爵位；有爵位者加一等；阵亡者子孙荫袭。逃兵、为敌所俘者一律赦免，准予回乡。

天边出现一道彩虹。

小李的銮驾摆在宫前广场。小李搀怀孕的阿武上车，他们都穿得很正式。

小李叫正拎着高脚台笔墨夹子准备上后一辆车的起居郎：来，来，你坐我的车。问后边的人：可以走了吗？

后面一帮太监正在往十辆车上装珠宝绸缎。管事的：马上。

小李的銮驾带着这十车珠宝浩浩荡荡出了宫门。

长孙府。几进门大开，厅堂摆着酒宴、全套音乐和整班歌伎，都肃立着。

小李对阿武：叫舅舅。

阿武：舅舅。

长孙昂首不应。

小李端起一盏酒一饮而尽。对起居郎：记下，皇上和昭仪今日前往太尉长孙无忌的家，酒喝得很高兴，就在筵席上任命无忌的宠姬的三个儿子为散朝大夫，又用十辆车子载了很多金银财宝、丝帛锦缎赐给无忌。皇上很从容自然地谈到皇后没有儿子，以暗示无忌，但无忌以其他话题回答，始终不承顺皇上的心意讲话，皇上和昭仪都很不高兴地罢席回去。——都记下了吗？记完了我们回去。

小李搀着阿武迈出门槛，上等在外面的马车，马身上的汗还没消。

内殿。

小李叫起居郎：不要屏风，叫他们拿走，你就站在那儿；昭仪也出来，不要躲在幕后，没什么见不得人的事。

太监拉起正中帷幕，阿武捧着肚子坐在一把椅子上，穿戴有如高阳生前。灯火灿灿，她眼中似有彩虹，使人无法仰视。

下面，坐着长孙、褚遂良等元老重臣，都穿着正式的朝服，拿着手板。

小李看着长孙：皇后没有儿子，武昭仪有儿子，现在想立昭仪为皇后，怎么样?

长孙不答。

褚遂良抢答：皇后出身名家，是先帝为陛下娶的媳妇，没听说皇后有什么过错，怎么可以轻易废掉？臣顺从陛下的意思，就是违逆了先帝的遗命。

小李不语，示意他继续说。

褚：何况，陛下一定要废皇后，天下名门之女有的是，何必一定要武氏。武氏曾经侍奉过先帝，这是大家都知道的事。一万年后，天下人会怎么议论陛下？希望陛下慎重，三思而后行。臣现在忤逆了陛下，所犯的罪应该处死，现在就把手板退还陛下，请陛下放臣回返故里。

褚遂良说着激动，把手板放在小李脚前台阶上，解下头巾猛叩头到血流满面。

小李：带他走。

薛仁贵等几个宿卫军官走出一侧帷幕，把褚拖走。

小李：加一句，昭仪大叫：为什么不把这可恶的东西杀掉！回头对阿武笑：你也别老装无辜。

阿武目光闪闪，嗓音低沉：皇后杀了陛下的女儿。

长孙脱口而出：遂良接受先帝的遗命，有罪也不可用刑。

小李笑：好好，这话省得我说了。叫许敬宗来，让他告诉你再之前的。

许应声从另一侧帷幕后走出。上前背诵：今天退朝，皇上叫长孙无忌、褚遂良几位大人留一下，到内殿说点事。皇上前脚走，老褚就说：皇上今天召见我们，多半是为废立皇后的事，皇上的心意已决，违逆皇上的人一定得死。长孙大人是皇上的舅舅，又是功臣，不能让皇上有杀舅舅和功臣的罪名，我出身草莽，并无战功，坐到这么高的地位，不以生命力争到底，有什么颜面到地下去见先帝？以上所说是实，是臣隐在柱子后亲耳听到的。

小李：都是商量过的，啊，你先上我后上，早晚一起都要上。阿武呀，你好好看看，这就是朕委以身家性命的至亲尊者，这就是先帝托付社稷的股肱重臣。什么叫党同伐异？什么叫朋比为奸？舅舅，您学问大，您替我想一个周全的名，你们是该叫皇后党呢还是先帝党？——这个不要记，这是我们家里人对家里人，晚辈对长辈，关上门请教的话。

小李拿两张盖了玺的纸递给起居郎：这两个诏令，你先抄写登录，日子不要记今天，记正式颁布那天的。对长孙：什么“一定得死”，你们几个，我一个不杀。

起居郎：十月，十三日，皇上下诏令：小王，小萧计划毒死皇上，废为庶人，她们的母亲和兄弟，都废掉原有的名位，流放到岭南。

小王、小萧除去所有的头面首饰，素面挽发身穿粗布衣服，在士兵的押解下孤身离开原住的宫殿。

起居郎：十九日，百官呈上奏表要求立皇后，皇上下诏令：武氏家门显赫，功勋彪炳，出身良好高贵，以前因为才德美行被选入后宫，誉满宫闱。朕那时还是太子，特别蒙受先皇的恩泽，而得伺候先皇，朝晚不离身边。武氏在后宫，一举一动常深自反省，周旋在嫔嫱之间，从没发生过反目不愉快的事。先皇清楚了解武氏的为人，常常称赏赞叹，就把武氏赐给朕，就像汉宣帝为太子立王政君为太子妃一样，可立武氏为后。

宫中大平台，正在举行阿武的皇后加冕礼。长孙等一班老臣已不复再见，许敬宗等一班新贵站在前排。陪送阿武出来的后宫嫔妃旧人也已零落，多是新面孔。

一个胸前挂满功勋绶带颤巍巍的老臣将玉玺印绶册封给阿武。

小李亲手把后冠戴在阿武头上。

阿武戴上后冠，威严有仪态。

天还是黑的。

皇后寝殿。太监在叫门：皇上，皇上，该起床了。

屋里灯亮了，武则天的声音：知道了。

床上。小李委靡地闭着眼：我不想起，我还要睡。我头晕，一睁眼前全是红的。你替我去听听吧，能有什么新鲜的。

武：我已经在幕后替你处理很多政务了，外国人都说唐有二天子。现在你要我公开临朝，天下的人会怎么说呢？

小李：他们说的还少吗？我在，我相信你不会杀我李氏子孙；我不在，你的历史你自己写。

小李翻身睡去。

武则天坐在镜前仰着脸，一个侍女在为她精心化妆。画的是一个广额吊睛冷艳夸张的舞台妆，犹如京剧的脸谱。

武则天在一群侍女的帮助下一层一层穿衣服，戴假发、头饰，最后蹬上一双高底靴，站起来顿时比平时显得高大威猛。

她拿起高阳留下的口脂把嘴擦亮。

一个侍女推开寝殿的门，两边廊子上打着灯笼的侍女立刻出来站队，武则天走了出来，完全是一个陌生人，一个扮好了的演员，一个彩绘的偶像。

宫门一道一道打开，守门的卫士纷纷伏地；灯笼越来越暗，天越来越亮；广场越来越大，越来越空旷。

太阳迎面升起，这一切一下逆光了，武则天成为剪影。

殿里百官像风吹麦田一层层伏下去。

她始终没有再转过身来，就是一个向皇位走去渐行渐远的背影。

后记：

小王、小萧后为武氏所杀。

长孙无忌被削夺太尉的官职和封邑，改为扬州都督，在黔州安置，后为许敬宗派人逼迫自杀。

褚遂良被贬为爱州刺史，病死于爱州，死后被诏令追削官爵。

许敬宗后从太子少师官职上退休，特进高阳郡公。死后有人曾建议给他谥号“谬”，皇上不准，后谥号“恭”，皇上准了。

公元六八三年十二月四日，唐高宗小李在洛阳贞观殿因脑溢血去世。

公元六九〇年九月九日，武氏称帝，改国号为周。称帝十五年。公元七〇五年正月二十二日羽林军官拥戴太子发动宫廷政变，中宗复辟，恢复国号为唐。十一月二十六日，软禁中的武氏在上阳宫逝世，享年八十二岁。遗嘱：去掉帝号，称为则天大圣皇后。王、萧二族人以及褚遂良等人的亲属都赦免。十二月，与其丈夫高宗小李合葬于乾陵。这年，户部上奏：天下户有六百一十五万，人口三千七百一十四万多。

所有史书均记载，武氏当朝后残忍嗜杀，杀子、姐、甥女、异母兄弟多人，唐宗室子弟几被她杀尽。终其一朝，颇多酷吏，亦多能臣。

（完）

能断金刚般若波罗蜜多经

——连金刚那样坚固都能打破的通向彼岸的智慧（北京话版）

1．为什么忽然聊起这个事

我是这么听说的：耶稣出生前五百公转，佛——大彻大悟的释迦牟尼老师在印度舍卫国一所叫“每棵树都给孤独”的园子，和一千二百五十个持戒弟子以及闲人住在一起。此时，正好到了这位全世界尊敬的人的饭点儿，于是大彻大悟他老人家就裹上围身布，找出饭盆，进舍卫城里要饭。老人家混在一千多乞讨和尚中，顶着日头在市区挨家挨户谦卑地讨了一圈，端着饭盆子回到园子，仔细吃完酸奶咖喱杂和菜，舔干净饭盆和手指，脱光膀子，洗过脚，回到树下自个儿的坐席，拍软乎坐垫，盘腿坐下开始饭后打坐。

2．一个和尚冒出来

这时，必须觉悟——罗汉兄弟中最善空谈的，从人堆里冒出来，光着一只膀子，单腿跪地，合掌很恭敬地请了个安，凑过来跟大彻大悟聊天：“少见的全世界尊敬的人！如来——您！没事就爱提醒各位已见本性仍放不下普世情怀的菩萨，要他们小心看护自己心念，见天唠叨这些发狠话要救众生出妄想的菩萨：你们要注意了！全世界尊敬的人！若世上那些灰了心的男人、灰了心的女人也想撤、回归自己的本来面目——您开示的无上平等觉悟之心，您能告诉他们立足什么立场出发寻找回故乡之路？凭什么降伏那从出生就冒充本人、冒充天性的人性思念？”

大彻大悟说：“好啊！好啊！必须觉悟！就像你说的，如来特爱提醒各位已见本性只一个情字未了不肯成佛的菩萨，要他们当心，一旦觉悟，不代表永远觉悟，无往不在觉悟中，要他们醒着点。你坐近点，我告诉你。灰了心的男人、灰了心的女人要想撤、回归至无上平等觉悟之心，应该这么做，这样降伏从出生就冒充本人、冒充天性的生存反应和教育结果！”

“必须的！全世界尊敬的人！特高兴早就想听您怎么聊了！”

3．船不在大

大彻大悟告诉必须觉悟：“各位初段菩萨、各位高段菩萨应该这样了却自己的心意：所有一切咱们叫众生的小生命，要么是下蛋的，要么是怀胎的，要么是水里繁殖的，要么是自个儿分裂的，要么有形有色，要么无形透明，有的有思想，有的没思想，有的思想混乱，有的思想单纯，我都指引它们进入无余寂灭结束思念获得真清净。这样被我了结的小生命多得数也数不过来，可现实是小生命们还在那里无穷思念，没一个得清净的。问题在哪里？必须觉悟！要是菩萨觉悟之后还觉得别人都晕在里头唯独我跳出来了，我和一切动物太不一样了，我名人，外号万物之灵，不但善于行动而且善于思想，别人未必我一定、必以一种——甭管什么了吧——的方式永远占有这个世界，这位兄弟就不是菩萨。”

4. 船大还要好水手

“再者说，必须觉悟！依法菩萨出门度人不能画眉毛不能搽胭脂，所谓不靠色相招人，不带迎风招、不带两翼鼓、不带花言巧、不带唯我独。

“必须觉悟！菩萨应该这样进村发动群众——我换了个你熟的词儿——不住进任何长相细粉儿、长相喜兴、长成事儿逼的业主家里——跟谁都不是一头的。什么原因？菩萨不装人民的儿子，就算人民有福，菩萨有德了，其效果不可思议。

“必须觉悟！这话什么意思？东边天上那一片什么也没有的虚空你能裱下来吗？”

“不能！全世界尊敬的人！”

“必须觉悟！南边天上、北边天上、西边天上、这上上下下的无远佛界可以用人的思想丈量吗？”

“不能！全世界尊敬的人！”

“必须觉悟！菩萨不掉进这个世界的梦想陷阱，才能超越人类的集体梦想，为这个世界带来的惊喜也就像这片天空不可思议。必须觉悟！菩萨出门当艄公必须照我教的行船，住宿就住在我的提醒上。”

5. 你知道你瞧见的是什么吗

“必须觉悟！这话什么意思？你瞧得见我，瞧得见如来吗？”

“瞧不见！全世界尊敬的人！不能把您这辈子爹妈给的相貌当成如来。为什么呢？如来——您，此刻这副形象，不是您本来的样子。”

大彻大悟告诉必须觉悟：“这世上一切有形有色的，都是太阳照的影子；神佛偶像，出自妄想。什么时候你瞧这些影子都成了光线，您就瞧见如来了。”

6．真靠谱的不多

必须觉悟跟大彻大悟说：“全世界尊敬的人！全世界景仰您的人要是听了您刚才这番话，一定给惊着了，您觉得他们还能信您吗？”

大彻大悟跟必须觉悟说：“不要这么说！我没了——我当然会没的——再过五百年，也一定会有人对我这话一听就懂，一听就信，懂我这话才是老实话，信我不是在拿自己——拿大伙开涮。要知道这位爷不是一天两天三天四天才生出来的烦恼，而是前尘往昔世世代代的烦恼伤心扛在身上，生生死死无以解脱，才于一念间为我片语所动，登时放下千辛万苦，生出堪比白雪的纯净信念。必须觉悟！这些事我全知道，如来眼珠子一直瞪着呢，这样的人必得到如他扛的烦恼那么大的觉悟机会。”

“什么缘故？”

“有烦恼才怀疑，烦恼越大怀疑越深，因为这个缘故才能勘破此刻这个正在烦恼的自我只是一连串翻云覆雨的意识流；差别都是环境造成的；身体不由自主——主见全是别人暗示的；谁见过形骸复活至今还在世上到处溜达？吾从未见世上有恶念菩萨闻讯报应——菩萨报人难道不怕业报报他？吾从未见世上有善念人类因此变得和平。”

“什么缘故？”

“寻找回家之路的人，如果站在人性立场认识生命，以为存在就是合理的。自我马上就会出现，就开始表演独特，表演身体功能和情感细腻，逗你相信你是可以战胜岁月把您连同思想完好保存下来，和时间一起去看未来。”

“又是什么缘故?”

“如果站在佛法的立场认识生命，执着于一切皆空。自我还是会出现，众人皆醉我独醒，空虚得比谁都真实，以为这个空无承当的自我可以跳出自然律别人都死光了就你还活着!”

“这又是什么缘故?”

“如果站在世间本无法、历史无必然的立场，自我还是会出现，一副很偶然很神秘的样子，来得很蹊跷，一生所遇人事桩桩件件无不大有深意，莫非来此有事? 不会正是佛本人吧?

“——因为这些缘故，佛法和不要脸成一回事了! 因为这些没立场就不能想事的人太多，我常和你们急：你们这些和尚，到底明不明白? 我给你们讲觉悟的方法就好比渡河要用筏子——叫救生圈也可以! 是工具! 过去了就该扔掉。佛法尚且该扔，何况各种不要脸!”

7. 什么没得到也没什么可说的

“必须觉悟! 这话什么意思? 如来得过无上平等觉悟——我成佛了吗? 如来说过什么是佛法吗?”

必须觉悟说：“要是我对觉悟这两个字没理解错的话，压根儿就没一个镶在云上的镜框叫至高无上平等觉悟，也没有一架糊好的天梯让您喊人去爬。为什么这么说? 如来所说的觉悟方法，全都不可当教条愚昧地坚持，不可从字面上简单理解，既不是梯子，也不是镜子。为什么这么说? 一切追求真理的人都知道真理不是一个死的东西，所以才在表达上有那么多差异。”

8. 真正的佛法都在这本经里

“必须觉悟! 这话什么意思? 要是有人把三千大千世界全部

金银、玛瑙、琥珀、琉璃、珊瑚、珍珠都捐出来管咱们饭，这个人得到的福气和功德多不多？”

必须觉悟说：“已经淤出来了！全世界尊敬的人！为什么这么说？这福德具体到可以拿珍宝丈量，已经不是您说的本性自身不可以价值论的福气和功德了，所以如来说这个人福气和功德未免太多了。”

“要是有人，从我刚才说的话里，受到启发，理解了，做到了，乃至编成好听好记的顺口溜，为群众讲解，他得的福气比前面那个人大。——为什么这么说？必须觉悟！一切觉悟和使人觉悟的方法，都在我这些话里。必须觉悟！所谓佛法，就是无有定法，佛说的话也不要迷信。”

9．破就破个干净

“必须觉悟！这话什么意思？初段菩萨能不能这么想：我踏实我已修得初段成果？”

必须觉悟说：“不能，全世界尊敬的人。”

“为什么不能？”

“初段的意思就是刚入流，其实无流可入，才破除感官、意识偏见，所以叫初段，这才哪儿到哪儿啊？”

“必须觉悟！这话什么意思？二段菩萨能不能这么想：我踏实我已修得二段成果？”

必须觉悟说：“不能，全世界尊敬的人。”

“为什么不能？”

“二段的意思是独往独来，断除食色烦恼，而其实既无可往也无可来，只是那么叫他，不是他真跟孤雁似的。”

“必须觉悟！这话什么意思？三段菩萨能不能这么想：我三

段我可以偷乐了。”

必须觉悟说：“不能，全世界尊敬的人！”

“为什么不能？”

“三段的意思是从此告别，再也不来，而其实您根本就没来过，只是那么形容，您还真别觉得您不来多大事儿的。”

“必须觉悟！这话什么意思？阿罗汉这么想：我，最高段，轮回——不轮！涅槃我都明戏了，我该算靠谱了吧？”

必须觉悟说：“不算！全世界尊敬的人！”

“怎么呢？”

“找遍佛法实在没有一个最高阶段叫阿罗汉。全世界尊敬的人！如果阿罗汉这么想：我已是阿罗汉。说明孩子心里还是有个自我，有差别心，有点拿自己当瓣蒜了，有点心里美：哥们儿终于闹明白自己是谁了赶明儿全瞧我了！全世界尊敬的人！您曾表扬过我已达到夸也听不见、骂也听不见、不知什么是露脸什么是现眼的境界，这在人里就算最高境界了，是罗汉里第一个脱离了低级趣味的。我连想都不这么想：我是脱离了低级趣味的罗汉。全世界尊敬的人！我要这么想：我牛掰我是罗汉。您就不说我是与世无争的求道者了，虽然叫必须觉悟其实一点觉悟没有，只是得了个虚名，是罗汉爱好者。”

10．庄严可以装修吗

大彻大悟问必须觉悟：“这话什么意思？我从前在燃灯佛他们家学到什么佛法了吗？”

“没有！全世界尊敬的人！您过去在燃灯佛他们家，其实一无所见一无所获。”

“必须觉悟！这话什么意思？菩萨能把佛在的地方装点得更

庄严吗?”

“不能！全世界尊敬的人！为什么？一心庄严佛土的人，已经和庄严俩字没关系了，是驴粪蛋表面光。”

“所以呀必须觉悟！凡是菩萨，都应该这样守护他们清净的信念：不应守色相，不应守眼，不应守耳，不应守鼻，不应守肌肤，不应守意识形态；应守一无所见，一无所感，一无所知，守0，守生前——创世前，才见无上觉悟！

“——必须觉悟！比方说有个人，身子像喜马拉雅山那样大，你觉得怎么样？这身子叫大吗?”

必须觉悟说：“已经淤出来了！全世界尊敬的人！为什么这么说？觉悟者说觉悟之身不可丈量，无边无际，才可叫大。”

11．福德胜福德

“必须觉悟！比如恒河中所有沙子，每一粒沙子都是恒河，你觉得怎么样？这么多恒河沙加在一块儿算多吗?”

必须觉悟说：“太多了！全世界尊敬的人！一条恒河已经一眼望不到头，何况再算上沙子?”

“必须觉悟！我今天实话告诉你：要是有一心向善的男子、一心向善的女子用可以装满如你所说恒河沙一般多的三千大千世界金银财宝布施天下穷人，所得福德多吗?”

“已经淤出来了！全世界尊敬的人!”

大彻大悟告诉必须觉悟：“要是有倒霉孩子、倒霉妞儿，从我刚才的话里受到启发、理解了、做到了，乃至编成顺口溜，为他人讲，所得的福德，胜于前边那位。”

12．态度要放尊重

“还有，必须觉悟！要是有一处正在讲解我的话哪怕只是在唱顺口溜的地方，应当知道这地方，一切世间人、有福无德的大仙都要提供饮食如同给我、合利塔和庙。但凡有人能依照此经修持、精读、朗诵，必须觉悟！要知道此人已成就最上乘、举世第一、极为罕见的觉悟。这本经所在地方，就是佛在的地方，尊重这地方如同尊重我。”

13．应该这样修持

那时，必须觉悟坦率地对大彻大悟说：“全世界尊敬的人！给您刚说的话起个名吧，叫什么经？我们应该怎样学习领会？”

大彻大悟告诉必须觉悟：“这本经就叫《能断金刚般若波罗蜜》——连金刚那样坚固不坏都能打破的通向彼岸的智慧。这个名字，你们要仔细体会！这里到底要说什么？必须觉悟！如来说通向彼岸的智慧，不是真有彼岸，只是一个假借，叫彼岸。必须觉悟！你有什么想法？如来给你讲法了吗？”

必须觉悟对大彻大悟说：“您一句没说。”

“必须觉悟！你有什么想法？三千大千世界所有灰尘，当得起一个多字吗？”

必须觉悟说：“太多了！全世界尊敬的人！”

“必须觉悟！这些尘埃，如来说不是尘埃，只是一个观感叫尘埃。如来说世界，无有世界，只是一个观感叫世界。

“——必须觉悟！你有什么想法？可以在我展现的三十二种威仪中见到如来吗？”

“不能！全世界尊敬的人！三十二种威仪都见不到如来。为什么这么说？您说三十二种威仪，都无关本性，只是三十二扇色相。”

“必须觉悟！要是有一心向善的男子、一心向善的女子，舍出恒河沙那样多世世代代的身家性命供佛、养佛、修庙、建塔，另一个坏人，只是根据这本经改正、修持，为别人解说，这个人才是真有福的！”

14．大家都会消失得不留痕迹

那时，必须觉悟听大彻大悟解说此经，深深理解了其中的含义和妙趣，不禁流下悲伤的眼泪，抽泣着对大彻大悟说：“难得的全世界尊敬的人！我从过去到现在从未听人讲过这么深刻的道理，从未有人说得这样彻底！

“全世界尊敬的人！今后再有人，听说了这个经，相信宇宙本性从来就是不留痕迹的，就会明了这个世界的真相。应当知道这个人已成就第一稀有功德。全世界尊敬的人！所谓真相，不是还有一个叫天国佛土的景象，是一切景象不存！如来说真相也不过是为了照顾人类理解习惯借的概念。全世界尊敬的人！我今天听了您说的话，按照您点破的方向去做，也不是什么太难的事，要是咱们都不在了的五百年后，有生命听说了这个经，按照您点破的方向去做，是人则为第一少有！为什么这么说？此人必无自我意识、无人类偏见、无生命局限、无意沾惹岁月的风尘。为什么这么说？自我本来就是一种随机取样儿，以为自我完整、自我独特、自我有精神有内涵、自我终将会以一种形式占有世界，都是无凭想象。为什么这么说？放下一切执着的想象，就叫佛——觉悟。”

大彻大悟对必须觉悟说：“是这样！是这样！如果有人听了这本经，不感到恐怖、惊吓、畏缩，这个人就非常难得了！为什么这么说？必须觉悟！如来说彼岸智慧，不是真有一个彼岸在天上，是形容觉悟境界超越人类经验，才命名：彼岸智慧。

“——必须觉悟！忍受痛苦才能超越人类经验，如来说没有人在忍受痛苦，只是一个借喻叙述那个自我否定的激荡过程。为什么这么说？必须觉悟！比方说我前世被波罗奈国暴君歌利王凌迟，我在那时没有自我，没有人之为人的坚持，没有觉得生命真实，没有延续这个自我到下一次日出的执着。为什么这么说？当我被人剁成一节一节的时候，要是我有自我，有人生回忆，觉得每一块切下来的皮肉都是我的真身，我要留个念想在人间，必定心生怨恨。

“——必须觉悟！我又想起很久很久以前我的五百前世，一直忍受痛苦和羞辱，我那时已没有自尊、没有虚荣、没有想生命宝贵、没有下一次再来这个世界的愿望。

“——因为这个缘故，必须觉悟！菩萨应远离一切后天所见，发无上平等觉悟心，不要让觉悟心生在后天爱恋上，不要生在眼、耳、鼻、舌、手、心腹等感官认识上。觉悟心即出世心——先天心！若以出世心做人世情状，为坊间增相添色，说得再好听，演得再漂亮，也一定不是了。

“——因为这个缘故，如来说菩萨不应住在本世界说世外故事。必须觉悟！菩萨为利益一切众生誓不成佛，首先要放下本世界的流行的世界观、生命观。如来说本世界形形色色，都是现象。又说本世界生命，都不代表自己。

“——必须觉悟！如来是说真话的人，说实话的人，有时不得已才打比方有点车轱辘话的人，不编瞎话的人，不装神弄鬼的人。——必须觉悟！如来所说佛法，是叫人摆脱要么实要么虚、要么善要么恶，一说就互相掐，能急死谁的唯一论。

“——必须觉悟！要是菩萨心居在本世界聊觉悟，就如人进了黑屋子，什么也看不见。要是菩萨心出离本世界聊觉悟，就如人睁开眼睛，太阳明亮地照耀，立见本世界种种色相之轻薄、之走光。

“——必须觉悟！当未来的时代，有绝望男子、绝望女子，读到这本经，认识了、体会了、到处为人说，此人正是如来。我以佛智慧，隔多少时代也清清楚楚瞧见这个人，目不转睛瞧着这个人成就无以丈量无边无沿的功德。”

15．修持本经的好处

“必须觉悟！要是有猛男子猛女子，早上以恒河沙那么多的身家性命舍身求法，中午再以恒河沙那么多的身家性命舍身求法，下午还以恒河沙那么多的身家性命舍身求法，一日日不间断经过无以计算百千万亿劫世世代代舍身求法。另一坏人只是偶尔听说这本经，产生不可逆的信心，其福胜过前面那位，更何况抄写、受持、朗读、为人解说！

“——必须觉悟！一句话：这本经有不可思、不可称、不可量无边功德！如来为发愿造最大船引渡众生的人说——警示他们，为发愿成无上最坚固觉悟的人说——鞭策他们。要是有人能接受这本经，精读、朗诵，广为大众传说，如来什么都知道，什么都看得见，亲眼看着这个人成就尺子量不过来、磅秤称不过来、一眼望不到头、超出全世界财富的功德。这样的人，就是以肉肩做担子挑着如来无上平等觉悟的人。

“——为什么这么说？必须觉悟！那些热衷具体修行方法的人，执著于我见、师父见、众人见、古人见，则对这本经不能听受，读了喷血，当然更谈不上为别人解说了。

“——必须觉悟！再久远的时代、再偏僻的地方，见到这本经，一切天人、神鬼都应供奉这本经，要知道这本经所在之处就是我的舍利塔，是我最珍贵的弟子，敬我不如敬它，路边有野花和香草可以撒在这个地方。”

16．此经能消前世罪孽

“再有，必须觉悟！恶男子恶女子，接受修持、精读朗诵这本经，如果为人轻视糟践，是这人前世犯下罪孽，本应堕入恐怖不幸之地。经过这一世被人轻视糟践，前世罪孽就会抵消，成就无上平等觉悟。

“——必须觉悟！我又想起过往很久以前无数世代，我在燃灯佛家，值班守候八百四千万亿数也数不过来的觉悟者，吃喝拉撒、身后事都由我一个人打理，没放空过一个觉悟者。将来有恶人在后世残暴年代，能接受修持、读诵此经，所得的功德，我供养诸佛所得功德跟他比，百分不如他一分，千万亿分乃至手指头脚指头都算上都不如他这一分。

“——必须觉悟！要是失魂丧魄男子失魂丧魄女子，在后世追求物质丰富的时代，接受修持、精读朗诵这本经，所得功德我都没法用人类语言形容。也许有好人听了，心马上狂跳，狐疑不信。必须觉悟！要知道这是因为这本经的道理超出一般人能理解的程度，每个人的下场、结果报应也不可预测！”

17．根本没有我

那时，必须觉悟坦率地对大彻大悟说：“全世界尊敬的人！世上失去信仰的男子、失去信仰的女子，发誓成就至高无上平等菩萨心，应该告诉他们相信什么？怎么了断那一波未平一波又起的痴心?”

大彻大悟告必须觉悟:“失去信仰的男子、失去信仰的女子,发誓成就无上菩萨心,应当有这个认识:我当指引一切生命认识生命,一切生命觉醒后,不能认为任何一条生命是被我唤醒的。

“——为什么这么说?必须觉悟!要是菩萨心中仍抹不去个我,舍我其谁,我是救主,我要推动历史进步,他就不是菩萨。

“——为什么这么说?必须觉悟!佛法中根本没有一种殊胜法叫至高无上菩萨心。

“——必须觉悟!这话什么意思?如来在燃灯佛那里,学过一种叫至高无上菩萨心的殊胜佛法吗?”

“没有,全世界尊敬的人!要是我没理解错您的意思,您在燃灯佛那里,根本没发现无上平等觉悟是扇锁着的铁门,要用一把叫至高无上菩萨心的大锤砸开。”

大彻大悟说:“是这样!是这样!必须觉悟!根本没有一把叫至高无上菩萨心的大锤在我手里握着,千百亿扇心门都能用这把大锤砸开。必须觉悟!我要有大锤,燃灯佛就不会做此预言:‘你来世要去当觉悟者,叫释迦牟尼。’因为实在无有这么省事得到无上平等觉悟,所以燃灯佛要派我去,说这个话:‘你来世要亲自去当觉悟者,叫释迦牟尼。’

“——为什么这么说?如来如来,就是一切方法如其词义,只是方法。要是有人说:如来家有殊胜法得无上平等觉悟。必须觉悟!如来家确实没有什么殊胜法得无上平等觉悟。必须觉悟!如来所得无上平等觉悟,不能用这个世界什么是真实的标准和观念去定义,基于这个缘故我说一切法都是佛法,又说一切法不是佛法。必须觉悟!这里所说的一切法,就是无法无天,条条小路通觉悟，所以叫一切法——普天之下莫非佛法。

“——必须觉悟！好比一个人身体长大……”

必须觉悟说：“全世界尊敬的人！如来说一个人身体大，就是说既无身体也无有大，只是一个词叫身大。”

“必须觉悟！菩萨也是一个词。他要这么说：我不度众生谁度众生？那他连菩萨这个名也不配叫。

“——为什么这么说？必须觉悟！回故乡之路根本没有一个巴士站牌叫菩萨领路。所以我说：一切觉悟路上没有我站、没有人站、没有众生站、没有永生站。

“——必须觉悟！菩萨要说：我的善举会把佛土装点得更庄严。那他已经不是菩萨了，连名都不配叫。

“——这话什么意思？如来说想把佛土打扮得唬人的人，谁也唬不了，只能唬他自己！必须觉悟！只有菩萨确实通达了无我的含义，如来说这个人可以叫真菩萨。”

18．所有眼睛看着你

“必须觉悟！这话什么意思？如来有解人情的眼吗？”

“如您所说！全世界尊敬的人！如来有肉眼。”

“必须觉悟！这话什么意思？如来有望宇宙的眼吗？”

“如您所说！全世界尊敬的人！如来有天眼。”

“必须觉悟！这话什么意思？如来有观智慧的眼吗？”

“如您所说！全世界尊敬的人！如来有慧眼。”

“必须觉悟！这话什么意思？如来有察假相的眼吗？”

“如您所说！全世界尊敬的人！如来有法眼。”

“必须觉悟！这话什么意思？如来有证觉悟的眼吗？”

“如您所说！全世界尊敬的人！如来有佛眼。”

“必须觉悟！这话什么意思？恒河中所有的沙子，如来说是沙子吗？”

“如您所说！全世界尊敬的人！如来说是沙。”

“必须觉悟！这话什么意思？一条恒河中所有沙子，有多少沙子就有多少条恒河，觉悟世界是这些恒河所有沙子的总和，这个数字多不多？”

“太多了！全世界尊敬的人！”

大彻大悟告诉必须觉悟：“你所在世界所有生命每一心思，如来都知道。为什么这么说？如来说一切心思，都不是真心所思，所以才叫心思。什么道理？必须觉悟！过去的心思不可追，现在的心思不可留，未来的心思尚未起。”

19．觉悟不可赎买

“必须觉悟！这话什么意思？要是有大慈善家把全部三千大千世界金银财宝布施天下穷人，供养佛、塔、庙，这人因为这行为，得到的福报多不多？”

“如你所说！全世界尊敬的人！这个人的福报太多了。”

“必须觉悟！要是真有福报功德这回事，如来就不说谁的福报功德多了；因为福报功德根本就是妄想，如来才说福报功德也太多了。”

20．告别一切完美和神通

“必须觉悟！这话什么意思？如来可以用充满人体美的健康形象使人相信修佛对身体有好处吗？”

“不能！全世界尊敬的人！如来不应以人体美使人把修炼觉悟当健身运动。为什么这么说？如来说充满人体美，其实美并无标准，人体总会衰败，更无一个绝对尺度到那儿就叫充满，所以才有这个渴望高度的词：充满。”

“必须觉悟！这话什么意思？如来可以尽显神通使世界变得完美令不信的人信佛是神吗？”

“不能！全世界尊敬的人！如来不可以显神通干预自然律使人以为修佛是一种巫术。如来说世界完美，世界就已经残缺了，世界完美——是一种口头痛快。”

21．我说的你也要警惕

“必须觉悟！你千万不要以为如来会这么想：我这里有不可思议佛法传给你们。千万别有这个念头！

“——为什么这么说？要是有人说如来曾经讲过不可思议佛法，那就是诽谤佛！这家伙一点没听懂我说的是什么。必须觉悟！到处狂宣佛法的人，其实无法可讲，所以才在脑门上贴四个字：佛法在此。”

这时，仿佛忽然看到了未来必须觉悟问大彻大悟：“全世界尊敬的人！一定有特别多的人民在未来追求幸福的年代听到您这番话，他们还能产生信心吗？”

大彻大悟说：“必须觉悟！他们不代表人民，他们连自己也代表不了。为什么这么说？必须觉悟！众生啊众生，如来说没有众生，只有一个叫众生的集体无意识。”

22．不可制变化

必须觉悟直率地问大彻大悟：“全世界尊敬的人！您所得的无上平等觉悟其实不是一种教育体制对吗？”

大彻大悟说：“是这样！是这样！必须觉悟！我所得的无上

觉悟，于任何体制一点边儿也不沾，所以叫无上平等觉悟。”

23．平等心就是最大的善行

“再者说，必须觉悟！这世上如果一定要有部法，就是平等法！太阳脚下无高下，所以叫无上平等觉悟。人上无我才有平等观。不找借口自欺，不找强项欺人，死亡面前人人平等！行者只要两边够宽，闭上眼，一直往前走，迎面就是无上平等觉悟。必须觉悟！这里所说的够宽，如来说都不够宽，只是走过来了，回头才喊：宽敞！”

24．聪明不好使

“必须觉悟！要是三千大千世界中所有金银财宝堆到喜马拉雅山这般高，有聪明人扒下来管天下人饭、管咱们饭。另有一笨人，捧着这本《破金刚相先天智慧到彼岸经》，只念其中几句话，接受了，理解了，执行了，逮谁跟谁聊，前面那位的福气功德，一百分顶不上他一分，千百万亿乃至把手指头脚指头都数上也赶不上他。”

25．无人可救

“必须觉悟！这话什么意思？你们这些人千万别以为如来会这么想：‘我已觉悟我来替你们思考。’必须觉悟！千万别有这样的想法！实际上没有一条生命能让别人代替他思考。但凡有一人我替他思考了，我就是独夫、自大狂、精神倒错、一个宇宙笑话。必须觉悟！如来说话也经常我、我的，但不是真有一个我，只有凡夫俗子才会理解成真有一个我。必须觉悟！一个普通人，如来说也不是因为他普通他就真实。”

26．贴再多金子也不是本来模样

“必须觉悟！这话什么意思？如来是人间一切美好事物的代表吗？”

必须觉悟说：“你说行就行！你说行就行！您要是管人间，那人间也许比现在美好。”

大彻大悟说：“必须觉悟！要是如来代表人间幸福，就是人间一个英明的皇帝了。”

必须觉悟老老实实对大彻大悟说：“全世界尊敬的人！如果我没理解错您的意思，不应该把您庸俗成一个只代表幸福，只为满足人类基本欲望而存在的象征。”

这时，全世界尊敬的人念了四句顺口溜：

抱着金子来见我，呼喊着我的名字求我办事，

是你们这些人不走正道，我不见你们。

27．没有了断也没有破灭

“必须觉悟！如果你有这个念头，如来很虚无所以得无上平等觉悟；必须觉悟！千万不要起这个念头：如来很不真实所以得无上平等觉悟！必须觉悟！如果你有这个念头：得无上平等觉悟者，必须把一切做人的准则、做人的良知都泯灭。千万不要这么想！为什么这么讲？得无上平等觉悟的人，于所有道德良知不说梦断破灭那一段。”

28．菩萨不受祝福

“必须觉悟！要是某菩萨把恒河沙那样多世界的全部金银财宝拿出来帮助天下人改善生活，再一个穷人，深知一切佛法讲的

都是无我，归根到底一个字：忍——忍得失。这穷人就是菩萨，其功德胜过前菩萨。——为什么这么说？必须觉悟！菩萨不受功德福报。”

必须觉悟问大彻大悟：“为什么当了菩萨就不能收受功德，他自个儿积的呀！”

“必须觉悟！菩萨积德不应图报，这不是一个贿赂！所以我说功德再大都不记在个人头上。”

29．我不去热闹地方

“必须觉悟！要是有人说：如来刚才好像来这儿了，好像又走了，好像坐了会儿，好像还躺了一会儿，这是人们故意拧巴我。为什么这么说？什么叫如来？既无地方可来，又无地方可去，所以叫如来——如同来过！”

30．统一的面貌

“必须觉悟！要是有神勇男子神勇女子，把三千大千世界搓碎碾为极细小的微尘，你觉得怎么样？这满世界微尘数量算多吗？”

“太多了！全世界尊敬的人！为什么这么说？如果真有这么些微尘在跟前，您就不说微尘多了。为什么呢？您说微尘多，就是在说没有微尘，只有一个眼花缭乱叫微尘。

“全世界尊敬的人！如来说三千大千世界，都不是世界，是一系列心神恍惚。为什么这么说？一个世界要真存在，就应该有一个统一不可分的面貌，到如来嘴里，统一的面貌，也不是一张整脸，只是一幅镶嵌画。”

“必须觉悟！所谓统一的面貌，根本不曾有过也无从描绘，但一般人特别希望有这么回事。”

31．知道了看见了又如何

“必须觉悟！要是有人说佛曾说我看见、人看见、众生看见、时间看见，必须觉悟！你有什么想法？这人理解了我说的意思吗？”

“没有！全世界尊敬的人！这人不理解你的意思。为什么这么说？全世界尊敬的人说我看见、人看见、众生看见、时间看见，根本不是我在这里瞪着眼睛，人在这里瞪着眼睛，众生在这里瞪着眼睛，时间在这里瞪着眼睛，是说我来过、人来过、众生来过、时间来过。”

“必须觉悟！发无上平等觉悟心的人，对一切经文中的话，都应该像你这样去思考、去怀疑，这样才能避免生真理障。必须觉悟！这里所说的真理障，如来说可以去掉真理二字，是瞎子做梦，梦见自己深夜骑黑马与乌鸦赛跑。”

32．不要在伟大面前跪下来

“必须觉悟！若有富贵者以满无量过往未来全部三千大千世界金银财宝持用布施众生，另有卑微男子、卑微女子持无上平等心，用这本经，哪怕只是一时无眠翻最后那几句顺口溜，读进去了，流泪了，心碎了，为人演说，慷慨陈词，这泪人般的男子、泪人般的女子，所得福德胜过前面那个阔气的。

“为人说什么？不执着于世间万象包括这本经！听到什么，见到什么，都如风过耳，心如顽石不动。

“什么能令心坚强？

“一切过往的经历，如梦幻剪纸；如斑斑露水、如晴空霹雳；如今孤眼相看，只见大地落日——疾！”

大彻大悟——佛——释迦牟尼老师说完这本经，必须觉悟、围拢过来听讲的和尚、尼姑、男居士、女居士，以及一切听到佛语的世间人、兽、石头、草木、鱼虫；天上云、鸟、风，气流；苍白、呛蓝、贼绿、屎黄、赤黑皆如花怒放，一时留下各奔东西渐行渐远的背影。

（完）

附《金刚般若波罗蜜经》

姚秦天竺三藏鸠摩罗什译

法会因由分第一

如是我闻。一时,佛在舍卫国祇树给孤独园,与大比丘众千二百五十人俱。

尔时世尊食时,着衣持钵,入舍卫大城乞食。于其城中,次第乞已,还至本处。饭食讫,收衣钵,洗足已,敷座而坐。

善现启请分第二

时,长老须菩提,在大众中,即从座起,偏袒右肩,右膝着地,合掌恭敬,而白佛言:希有世尊!如来善护念诸菩萨,善付嘱诸菩萨。世尊!善男子、善女人发阿耨多罗三藐三菩提心,云云应住?云何降伏其心?

佛言:善哉善哉!须菩提!如汝所说,如来善护念诸菩萨,善付嘱诸菩萨。汝今谛听,当为汝说。善男子、善女人发阿耨多罗三藐三菩提心,应如是住,如是降伏其心。

唯然!世尊!愿乐欲闻。

大乘正宗分第三

佛告须菩提:诸菩萨摩诃萨应如是降伏其心。所有一切众生之类，若卵生、若胎生、若湿生、若化生、若有色、若无色、若有想、若无想、若非有想非无想，我皆令入无余涅槃而灭度之。如是灭度无量无数无边众生，实无众生得灭度者。何以故？须菩提！若菩萨有我相、人相、众生相、寿者相，即非菩萨。

妙行无住分第四

复次，须菩提！菩萨于法，应无所住行于布施，所谓不住色布施，不住声、香、味、触、法布施。

须菩提！菩萨应如是布施，不住于相。何以故？若菩萨不住相布施，其福德不可思量。

须菩提！于意云何？东方虚空可思量不？不也，世尊。

须菩提！南西北方，四维上下虚空，可思量不？不也，世尊。

须菩提！菩萨无住相布施，福德亦复如是不可思量。须菩提！菩萨但应如所教住。

如理实见分第五

须菩提！于意云何？可以身相见如来不？不也，世尊！不可以身相得见如来。何以故？如来所说身相，即非身相。佛告须菩提：凡所有相，皆是虚妄，若见诸相非相，即见如来。

正信希有分第六

须菩提白佛言：世尊！颇有众生，得闻如是言说章句，生实信不?

佛告须菩提:莫作是说!如来灭后,后五百岁,有持戒修福者,于此章句能生信心,以此为实。当知是人,不于一佛、二佛、三四五佛而种善根,已于无量千万佛所种诸善根,闻是章句,乃至一念生净信者。

须菩提!如来悉知悉见,是诸众生得如是无量福德。何以故?是诸众生无复我相、人相、众生相、寿者相,无法相,亦无非法相。何以故?是诸众生,若心取相,则为着我、人、众生、寿者;若取法相,即着我、人、众生、寿者。何以故?若取非法相,即着我、人、众生、寿者。

是故不应取法,不应取非法。以是义故,如来常说:汝等比丘,知我说法,如筏喻者;法尚应舍,何况非法!

无得无说分第七

须菩提!于意云何?如来得阿耨多罗三藐三菩提耶?如来有所说法耶?

须菩提言:如我解佛所说义,无有定法名阿耨多罗三藐三菩提,亦无有定法如来可说。何以故?如来所说法,皆不可取、不可说,非法、非非法,所以者何?一切贤圣,皆以无为法而有差别。

依法出生分第八

须菩提!于意云何?若人满三千大千世界七宝,以用布施,是人所得福德，宁为多不？须菩提言：甚多世尊！何以故？是福德，即非福德性，是故如来说福德多。

若复有人于此经中，受持乃至四句偈等，为他人说，其福胜彼。何以故？须菩提！一切诸佛，及诸佛阿耨多罗三藐三菩提法，皆从此经出。

须菩提！所谓佛法者，即非佛法。

一相无相分第九

须菩提！于意云何？须陀洹能作是念：我得须陀洹果不？须菩提言：不也，世尊！何以故？须陀洹名为入流，而无所入。不入色、声、香、味、触法，是名须陀洹。

须菩提！于意云何？斯陀含能作是念：我得斯陀含果不？须菩提言：不也，世尊！何以故？斯陀含名一往来，而实无往来，是名斯陀含。

须菩提！于意云何？阿那含能作是念：我得阿那含果不？须菩提言：不也，世尊！何以故？阿那含名为不来，而实无不来，是故名阿那含。

须菩提！于意云何？阿罗汉能作是念：我得阿罗汉道不？须菩提言：不也，世尊！何以故？实无有法，名阿罗汉。

世尊！若阿罗汉作是念：我得阿罗汉道，即为着我、人、众生、寿者。世尊！佛说我得无诤三昧，人中最为第一，是第一离欲阿罗汉。世尊！我不作是念：我是离欲阿罗汉。世尊！我若作是念：我得阿罗汉道。世尊则不说须菩提是乐阿兰那行者；以须菩提实无所行，而名须菩提是乐阿兰那行。

庄严净土分第十

佛告须菩提：于意云何？如来昔在然灯佛所，于法有所得不？不也，世尊！如来在然灯佛所，于法实无所得。

须菩提！于意云何？菩萨庄严佛土不？不也，世尊！何以故？庄严佛土者，即非庄严，是名庄严。

是故须菩提！诸菩萨摩诃萨，应如是生清净心，不应住色生心，不应住声、香、味、触、法生心。应无所住而生其心。

须菩提！譬如有人身，如须弥山王，于意云何？是身为大不？须菩提言：甚大，世尊！何以故？佛说非身，是名大身。

无为福胜分第十一

须菩提！如恒河中所有沙数，如是沙等恒河，于意云何？是诸恒河沙宁为多不？须菩提言：甚多，世尊！但诸恒河尚多无数，何况其沙？

须菩提！我今实言告汝：若有善男子、善女人以七宝满尔所恒河沙数三千大千世界，以用布施，得福多不？须菩提言：甚多，世尊！

佛告须菩提：若善男子、善女人于此经中，乃至受持四句偈等，为他人说，而此福德，胜前福德。”

尊重正教分第十二

复次，须菩提！随说是经，乃至四句偈等，当知此处，一切世间天、人、阿修罗，皆应供养，如佛塔庙，何况有人尽能受持读诵？

须菩提！当知是人，成就最上第一希有之法！若是经典所在之处，即为有佛，若尊重弟子。

如法受持分第十三

尔时，须菩提白佛言：世尊！当何名此经？我等云何奉持？佛告须菩提：是经名为金刚般若波罗蜜，以是名字，汝当奉持！所以者何？须菩提！佛说般若波罗蜜，即非般若波罗蜜，是名般若波罗蜜。须菩提！于意云何？如来有所说法不？须菩提白佛言：世尊！如来无所说。

须菩提！于意云何？三千大千世界所有微尘，是为多不？须菩提言：甚多，世尊！须菩提！诸微尘，如来说非微尘，是名微尘。如来说世界非世界，是名世界。

须菩提！于意云何？可以三十二相见如来不？不也，世尊！不可以三十二相得见如来。何以故？如来说三十二相，即是非相，是名三十二相。

须菩提！若有善男子、善女人以恒河沙等身命布施；若复有人，于此经中，乃至受持四句偈等，为他人说，其福甚多。

离相寂灭分第十四

尔时，须菩提闻说是经，深解义趣，涕泪悲泣而白佛言：希有，世尊！佛说如是甚深经典，我从昔来所得慧眼，未曾得闻如是之经。

世尊！若复有人，得闻是经，信心清净，则生实相，当知是人，成就第一希有功德。世尊！是实相者，即是非相，是故如来说名实相。

世尊！我今得闻如是经典，信解受持不足为难。若当来世，后五百岁，其有众生得闻是经，信解受持，是人即为第一希有！何以故？此人无我相、无人相、无众生相、无寿者相。所以者何？我相即是非相、人相、众生相、寿者相，即是非相。何以故？离一切诸相，即名诸佛。

佛告须菩提：如是如是！若复有人，得闻是经，不惊、不怖、不畏，当知是人甚为希有。何以故？须菩提！如来说第一波罗蜜，即非第一波罗蜜，是名第一波罗蜜。

须菩提！忍辱波罗蜜，如来说非忍辱波罗蜜，是名忍辱波罗蜜。何以故？须菩提！如我昔为歌利王割截身体，我于尔时无我相、无人相、无众生相、无寿者相。何以故？我于往昔节节肢解时，若有我相、人相、众生相、寿者相，应生嗔恨。

须菩提！又念过去于五百世作，忍辱仙人，于尔所世，无我相、无人相、无众生相、无寿者相。

是故须菩提！菩萨应离一切相，发阿耨多罗三藐三菩提心！不应住色生心，不应住声、香、味、触、法生心，应生无所住心！若心有住，即为非住，是故佛说菩萨心不应住色布施。须菩提！菩萨为利益一切众生故，应如是布施。如来说一切诸相，即是非相；又说一切众生，即非众生。

须菩提！如来是真语者、实语者、如语者、不诳语者、不异语者。

须菩提！如来所得法，此法无实无虚。须菩提！若菩萨心住于法而行布施，如人入暗，则无所见；若菩萨心不住法而行布施，如人有目，日光明照，见种种色。

须菩提！当来之世，若有善男子、善女人能于此经，受持读诵，则为如来以佛智慧，悉知是人，悉见是人，皆得成就无量无边功德。

持经功德分第十五

须菩提！若有善男子、善女人，初日分，以恒河沙等身布施；中日分，复以恒河沙等身布施；后日分，亦以恒河沙等身布施，如是无量百千万亿劫以身布施。若复有人，闻此经典，信心不逆，其福胜彼，何况书写、受持、读诵，为人解说！

须菩提！以要言之，是经有不可思议、不可称量、无边功德！如来为发大乘者说，为发最上乘者说。若有人能受持读诵，广为人说，如来悉知是人、悉见是人，皆得成就不可量、不可称、无有边、不可思议功德。如是人等，则为荷担如来阿耨多罗三藐三菩提。何以故？须菩提！若乐小法者，着我见、人见、众生见、寿者见，则于此经，不能听受、读诵、为人解说。

须菩提！在在处处，若有此经，一切世间天、人、阿修罗所应供养。当知此处，即为是塔，皆应恭敬，作礼围绕，以诸华香而散其处。

能净业障分第十六

复次，须菩提！善男子、善女人受持读诵此经，若为人轻贱，是人先世罪业应堕恶道，以今世人轻贱故，先世罪业即为消灭，当得阿耨多罗三藐三菩提。

须菩提！我念过去无量阿僧祇劫，于然灯佛前，得值八百四千万亿那由他诸佛，悉皆供养承事，无空过者。若复有人，于后末世，能受持读诵此经，所得功德，于我所供养诸佛功德，百分不及一，千万亿分乃至算数譬喻所不能及。

须菩提！若善男子、善女人于后末世，有受持读诵此经，所得功德，我若具说者，或有人闻，心即狂乱，狐疑不信。须菩提！当知是经义不可思议，果报亦不可思议。

究竟无我分第十七

尔时，须菩提白佛言：世尊！善男子、善女人发阿耨多罗三藐三菩提心，云何应住？云何降伏其心？

佛告须菩提：善男子、善女人发阿耨多罗三藐三菩提心者，当生如是心：我应灭度一切众生，灭度一切众生已，而无有一众生实灭度者。何以故？须菩提！若菩萨有我相、人相、众生相、寿者相，则非菩萨。所以者何？须菩提！实无有法，发阿耨多罗三藐三菩提心者。

须菩提！于意云何？如来于然灯佛所，有法得阿耨多罗三藐三菩提不？不也，世尊！如我解佛所说义，佛于然灯佛所，无有法得阿耨多罗三藐三菩提。

佛言：如是如是！须菩提！实无有法，如来得阿耨多罗三藐三菩提。须菩提！若有法，如来得阿耨多罗三藐三菩提者，然灯佛即不与我授记：汝于来世当得作佛，号释迦牟尼。以实无有法,得阿耨多罗三藐三菩提,是故然灯佛与我授记,作是言:汝于来世当得作佛,号释迦牟尼。何以故?如来者,即诸法如义。

若有人言:如来得阿耨多罗三藐三菩提。须菩提!实无有法,佛得阿耨多罗三藐三菩提。须菩提!如来所得阿耨多罗三藐三菩提,于是中无实无虚,是故如来说一切法皆是佛法。须菩提!所言一切法者,即非一切法,是故名一切法。须菩提!譬如人身长大。须菩提言:世尊!如来说人身长大,即为非大身,是名大身。须菩提!菩萨亦如是。若作是言:我当灭度无量众生,即不名菩萨。何以故?须菩提!实无有法,名为菩萨。是故佛说:一切法无我、无人、无众生、无寿者。

须菩提!若菩萨作是言:我当庄严佛土,是不名菩萨。何以故?如来说庄严佛土者,即非庄严,是名庄严。须菩提!若菩萨通达无我法者,如来说名真是菩萨。

一体同观分第十八

须菩提!于意云何?如来有肉眼不?如是,世尊!如来有肉眼。

须菩提,于意云何?如来有天眼不?如是,世尊!如来有天眼。

须菩提!于意云何?如来有慧眼不?如是,世尊!如来有慧眼。

须菩提!于意云何?如来有法眼不?如是,世尊,如来有法眼。

须菩提!于意云何?如来有佛眼不?如是,世尊!如来有佛眼。

须菩提！于意云何？如恒河中所有沙，佛说是沙不？如是，世尊！如来说是沙。

须菩提！于意云何？如一恒河中所有沙，有如是沙等恒河，是诸恒河所有沙数，佛世界如是，宁为多不？甚多，世尊！

佛告须菩提：尔所国土中，所有众生若干种心，如来悉知。何以故？如来说诸心皆为非心，是名为心。所以者何？须菩提！过去心不可得，现在心不可得，未来心不可得。

法界通化分第十九

须菩提！于意云何？若有人满三千大千世界七宝，以用布施，是人以是因缘，得福多不？如是，世尊！此人以是因缘，得福甚多。

须菩提！若福德有实，如来不说得福德多；以福德无故，如来说得福德多。

离色离相分第二十

须菩提！于意云何？佛可以具足色身见不？不也，世尊！如来不应以具足色身见。何以故？如来说具足色身，即非具足色身，是名具足色身。

须菩提！于意云何？如来可以具足诸相见不？不也，世尊！如来不应以具足诸相见。何以故？如来说诸相具足，即非具足，是名诸相具足。

非说所说分第二十一

须菩提！汝勿谓如来作是念:我当有所说法。莫作是念！何以故？若人言:如来有所说法。即为谤佛,不能解我所说故。须菩提！说法者,无法可说,是名说法。

尔时,慧命须菩提白佛言:世尊！颇有众生于未来世,闻说是法,生信心不？佛言:须菩提！彼非众生,非不众生。何以故？须菩提！众生众生者,如来说非众生,是名众生。

无法可得分第二十二

须菩提白佛言:世尊！佛得阿耨多罗三藐三菩提,为无所得耶？

佛言:如是如是！须菩提！我于阿耨多罗三藐三菩提,乃至无有少法可得,是名阿耨多罗三藐三菩提。

净心行善分第二十三

复次,须菩提！是法平等,无有高下,是名阿耨多罗三藐三菩提。以无我、无人、无众生、无寿者,修一切善法,即得阿耨多罗三藐三菩提。须菩提！所言善法者,如来说即非善法,是名善法。

福智无比分第二十四

须菩提！若三千大千世界中,所有诸须弥山王,如是等七宝聚,有人持用布施。若人以此般若波罗蜜经,乃至四句偈等,受持读诵,为他人说,于前福德,百分不及一,百千万亿分,乃至算数譬喻所不能及。

化无所化分第二十五

须菩提！于意云何？汝等勿谓如来作是念:我当度众生。

须菩提！莫作是念。何以故？实无有众生如来度者,若有众生如来度者,如来即有我、人、众生、寿者。

须菩提！如来说有我者,即非有我,而凡夫之人以为有我。须菩提！凡夫者,如来说即非凡夫,是名凡夫。

法身非相分第二十六

须菩提！于意云何？可以三十二相观如来不？须菩提言:如是如是！以三十二相观如来。佛言:须菩提！若以三十二相观如来者,转轮圣王即是如来。须菩提白佛言:世尊！如我解佛所说义,不应以三十二相观如来。尔时,世尊而说偈言:若以色见我,以音声求我,是人行邪道,不能见如来。

无断无灭分第二十七

须菩提！汝若作是念:如来不以具足相故,得阿耨多罗三藐三菩提。须菩提！莫作是念:如来不以具足相故,得阿耨多罗三藐三菩提。须菩提！汝若作是念,发阿耨多罗三藐三菩提心者,说诸法断灭。莫作是念！何以故？发阿耨多罗三藐三菩提心者，于法不说断灭相。

不受不贪分第二十八

须菩提！若菩萨以满恒河沙等世界七宝持用布施。若复有人，知一切法无我，得成于忍，此菩萨胜前菩萨所得功德。何以故？须菩提！以诸菩萨不受福德故。

须菩提白佛言：世尊！云何菩萨不受福德？须菩提！菩萨所作福德，不应贪着，是故说不受福德。

威仪寂静分第二十九

须菩提！若有人言：如来若来若去，若坐若卧，是人不解我所说义。何以故？如来者，无所从来，亦无所去，故名如来。

一合理相分第三十

须菩提！若善男子、善女人，以三千大千世界碎为微尘，于意云何？是微尘众宁，为多不？须菩提言：甚多，世尊！何以故？若是微尘众实有者，佛则不说是微尘众。所以者何？佛说微尘众，则非微尘众，是名微尘众。

世尊！如来所说三千大千世界，即非世界，是名世界。何以故？若世界实有者，即是一合相。如来说一合相，即非一合相，是名一合相。须菩提！一合相者，即是不可说，但凡夫之人贪着其事。

知见不生分第三十一

“须菩提！若人言：佛说我见、人见、众生见、寿者见。须菩提！于意云何？是人解我所说义不？不也，世尊！是人不解如来所说义。何以故？世尊说我见、人见、众生见、寿者见，即非我见、人见、众生见、寿者见，是名我见、人见、众生见、寿者见。

须菩提！发阿耨多罗三藐三菩提心者，于一切法，应如是知，如是见，如是信解，不生法相。须菩提！所言法相者，如来说即非法相，是名法相。

应化非真分第三十二

须菩提！若有人以满无量阿僧祇世界七宝，持用布施；若有善男子、善女人发菩提心者，持于此经，乃至四句偈等，受持读诵，为人演说，其福胜彼。云何为人演说？不取于相，如如不动。何以故？一切有为法，如梦幻泡影。如露亦如电，应作如是观。

佛说是经已，长老须菩提及诸比丘、比丘尼、优婆塞、优婆夷、一切世间天、人、阿修罗，闻佛所说，皆大欢喜，信受奉行。

妄想照进现实

——原名『梦想照进现实』

黑底渐亮。一只女人的指尖在飞快地摁手机键子。

手机显示屏：醒着还是睡了？

黑色光标在通讯录名单上快速下移，黑掉一个来不及看清的名字。

画面全黑。出片名。

哔一响，手机又亮了，进来一条短信：醒着。

回复：有事和你说。

黑隐。出主创名单。

手机又亮了，一个字：说。

回复：想和你当面说。

黑隐。出主创名单。

也许一下想不到是手机铃声，一个干净、有罐头味的男嗓子很唐突地跑出来一小声一小声认错。

铃声：我是太自私了，我是太自恋了，我是太自大了，女的一给我好脸我就牛起来了……

一只女人的耳朵被手机捂透明。

女声：喂。

男声：电话里说行吗？

女声：电话里说我怕你容易拧巴。

男声：我现在很脆弱，你这一说我都不敢深猜了。

女声：没事，顶多有点糟心。

男声：我糟心的事还少吗？

女声：你行，我知道，哪件事也没拦住你呀。

男声：那是你以为。你在哪儿呢？

女声：房间。

男声：我上去。

女声：没不方便还是我过你那儿。我这儿太乱，不能让人看。

男：没不方便。

电话挂断的嘟嘟声。

静场。黑底字幕全部出完。

叮咚，门铃声。

黑底渐亮，这是一间小饭店使用多年的老套间，刷着绿墙围子，沙发、地毯都很旧，书桌上亮着一盏台灯，房门漆已经多一半掉色和暴皮，紧下边一排黑鞋印子，最高的踢到门腰那儿，板儿已经踢翘了，下半身合不严了。

男人，从里间一溜小跑出来，脚后跟贴着创可贴，屁股裹着三角裤，背上俩肩胛骨一动一动的。

他把门打开条缝，走廊灯伞脸上。

男：你也太神速了，我还裸体呢。

男人回头，伸胳膊抓起沙发上一条皱巴巴的裤子，立地当间，金鸡独立往裤腿里蹬。

男：马上！

走廊有风，门一点点自己开了。

女人，蹲在门口，头埋在胳膊弯里，一只手向前当啷着，露在门口那圈光里，光卡着手腕，像戴着个金手套，几根手指捏着手机、中南海、红塑料打火机。

男人拉裤子上腰，吸气收腹勒皮带。

男人架着胳膊没头没脑套圆领衫。

男：好了。

女人站起来，猛一吃光没眼白了，嘴唇也是黑的，脸蛋硌着胳膊印。

女人皱着眉，一手捂着肚子，蹚水似的进房间，见到最靠门的沙发立即转腰，一屁股坐下。

女：出门还没事，摁门铃肚子开始疼。

男：有药，但是治头疼的。

女人从屁股底下抽出一泡着烟头的矿泉水瓶子，跟着又摸出一大墨镜。

女：先忍会儿吧，不想乱吃药我。

她又从屁股底下抽出一散了装订的剧本，一电视遥控板，一堆窝了的照片，一条内裤。

沙发的簧已经塌了，女人腾空了就像陷在篮子里。

男人踹了一脚，门才全进了门框。

男：你不舒服就躺那长沙发上去，要不把脚跷茶几上，跷着舒服。

女：我盘着吧。不知道你已经大脱了。

男：刚上床。一堆人刚走。明儿生孩子的戏可能拍不了了，医院不让拍了，说又来传染病了，一病毒又变种了，探视都停了，刚下的通知你说寸不寸？孩子我都借了，一对双胞胎。

男人往女人对面椅子上一坐。

桌上那盏台灯，灯罩像撒过尿有一圈圈锈。白墙照上去以为贴着黄墙纸。俩人脸往前一凑，都跟杏似的。

女：也就是你非要拍那场戏，你是把生孩子当床上戏了。

男：比较人性主要考虑。

女：每回看电影生孩子，我都觉得演员可悲，非逼着往动物那儿演。

男：抽根我的烟？

女：你什么烟？

男人把烟盒给女人看，一种外省出的无名豪华烟。

女：我还是抽我的吧，烤烟抽不动，原来还能抽，抽了阵儿外烟再抽国烟呛嗓子。

男：中南海还行。

女：中南海还行。

男：你这是点儿的？

女：点五的——来根儿吗？

男：前两天抽点一的拧巴了，跟抽空气似的。

女：点一的嘬半天什么都嘬不着。

男人给女人点烟，两人各自深吸一口，静了一会儿，灯下才有点浮烟。

男：还是酒闹的你这肚子，假装有量，本来是不是想灌我，把自己搞大了吧？

女：每个月这时候我肚子都疼。大哥，可不是我挑的头。

男：酒不是好东西，你这一晚上就挂相儿了，你瞧瞧你那眼袋，不是小姑娘了咱们。

女：我还算有酒德吧，没性骚扰你们谁吧？

男：还好，就是话密，觉得自己特懂事，特别会聊天，不许别人插话，也不许别人走，和旁边一桌人挨个热烈拥抱。

女：什么人旁边的？

男：我哪知道，住店的？来开会的？一叫就过去了。

女：没说什么不该说的话吧，对咱们组自己人？

男：话说得都特别够意思，一点毛病没有，尤其是你们俩互相最烦的，就瞧你们俩在那儿交心了。好戏呀，都不过脑子都倍儿到位。我还想呢，这要我导这场戏，可能就让你们哭了，哭就不对了。我采访一下你啊，你当时意识里有控制吗，我拣好听的说，让她以为我酒后吐真言？

女：当时是真的，一碰杯一下感动了，没你说的那么多心眼。

男：要说会演还得数女的，我没见一个男的能演得自己都信了。

女：因为男的没必要让自己信，让我们信就行了。你可千万别跟我说你们不够假。你是不是好演员呀？演了四十多年，谈谈你的体会，跟你搭戏的女演员有几个看出你在演了？

男：我假我假，演的不好，都让人看出来了。

女：也就是说，都喝美了，我的表现也不错，以后这样的活动我看还可以多搞。酒要喝好了挺难的，好几次，不深的朋友喝完酒不理我了，关键是我也不记得说过什么了，解释都没法解释，我不觉得我是一攻击性很强的人啊。喝完酒断片儿太害人了。

男：这次您从头到尾没断片儿？

女：没。中间有少几格的，酒满了，杯子空了，谁喝的？这个过程没有。

男：那你一定记得最后你给餐厅题的词了？

女：我又题词了？我题什么了？

男：您老题什么？您的口号是什么？对我们的总结，喝大了一定要嚷嚷唯恐天下还有不知道的，你想想？

女：男的都是傻逼？

男：对呀。写在人专门留言的大红本上。这餐厅经理也是缺心眼。

女：那我是大了。

男：承认了？最后一画面是什么？

女：你搂着我脖子，说下一部戏咱们还合作。

男：是你搂着我，妹妹，跟我推心置腹：哥，咱们得拍点好戏了。之后全不在脑海中了吧？

女：没砸店吧？

男：手我已经全攥住了。这一嘴酒精可全喷我脸上了。一点不夸张啊，现在我这鼻子人中周围还杀得慌呢。俩眼珠子，你见过那快没电就剩丝儿亮的手电筒吗？就那样。聚着那一捻光问我：你觉你很精是吗？

女：不认人了这时已经。

男：你知道啊？一晚上我这酒没大，被你一喷就大了。房间一下扩出好多倍，尽管好像是在广场我还有一心眼醒着，督促着我说：我傻。你已经掉转枪口顶着人经理胸脯喊：你觉得你很精是吗？

女：太不好了太不好了。你这时该叫人马上把我弄走。

男：我说的这都已经是安兵杨超举着你往外走了。这时候看出人了，要不是咱们组一帮哥们儿争着承认没你精，你哪能一路笑着离开。

女：我还笑着？我太现了。

男：也不知笑谁呢，笑得那叫一个瘆人。上楼换了四个场工，一人一条腿儿，到门口又坐地上了，死活不进屋，说这不是你家，非让我们送你回你家。你现在去看二处，估计脸还没正过来呢，想开导你，这是剧组。没蹲对地方，你斜么戗儿卧着，他斜么戗儿在你之间，被你一腿蹬脸上，回头是墙。

女：我说我怎么脚疼呢？明天给二处买一年足底，请全组喝可乐。我一不认人了，潜意识里只记得一个家，就是小时候我奶奶那个家。

男：你这潜意识里是有暴力倾向的，幸亏二处骨头还硬，这要蹬着女孩，脸盘就碎了。

女：我承认，我有暴力倾向。冬天一下雪，我就做入室杀人的梦，脸上蒙着毛袜子，一进梦就知道哪家路怎么走，一出梦就忘。你没发现我一到冬天，不沾酒了？我还挠谁了？我这十个指甲里都是人皮。

男：都是场工的，有挠出白道的，没出血的。你给那哥几个买条烟。全靠那几个小伙子了，没再让你起得来，扔床上四个人骑你身上坐着，全力压，直到你不撂蹦了，安静了。

女：你们就全闪了？

男：我帮你脱的鞋。脱鞋的时候，你还跟我说话呢。

女：我醒了？

男：醒未必。话是软话：求求你别办我。

女：我靠。

男：我说没人办你，就脱鞋。怎么都不信，谁靠你床边就央告谁，本来还想帮你脱袜子，算了。

女：别说了！再说我找地缝钻进去了，我太不靠谱了。

男：以后别再吹有酒德了。

女：不吹了。我这算酒炸吧？

男：当然还不算我见过的最邪乎的。喝不喝水？酒后应该叫水呀。

女：渴。嗓子特别干。

男：我这儿有好茶。

女：茶免了。回去该睡不着觉了。这一分散注意肚子还真忘了。我喝酒算实诚的吧？可能是太实诚了，所以一喝就大。

男：还吹？

女：以后戒酒了。

男：这种誓也不必发，你哪知道以后呀？人还是要交几个坏朋友的，日子是最操蛋的，隔几天跟你起一次腻，酒还能随时给自己起个哄。当然酒是坏朋友里比较低级的了，也不能太拿它当朋友，一起玩行，跟它交心不知道给你带哪儿去了——别带着心事喝。

女：我没心事，我和你一样，也就是把它当一骚货，闲了招它两下。

男：我现在也一点不喜欢酒了，经常喝一晚上没感觉，越喝越醒，醒得跟鬼似的，要就一杯就过缩儿，直奔晕——恶心去了。酒跟我不亲了。事后胃难受也让我不喜欢。第二天酒还下不去，还在胃里逛荡，反上来巨酸，全是醋嗝儿，打得我咬牙跺脚攥拳头，非得跪马桶抠嗓子眼儿，跟刮宫似的，食道那个辣，那个烧灼，那个不能碰。不过我要喝你这么大绝对第三天见了。你好像还行，这才几小时就起来了。吐了吗？还是年轻。

女：吐了。就是起来吐，吐醒的。再躺下后脑勺不能挨枕头，闭眼比睁着眼还晕，整个屋子这么打秋千，只能起来坐着，竖着头。估计你们没走多一会儿我就起来了，一直坐海盗船。现在晕是好点，疼也不是正经疼，是那么个劲儿，一小脑人在里边跳绳。

男：女的是比男的能扛这点比较佩服。我建议你吃片药，能缓点缓点。肚子彻底不疼了？

女：没那么疼了，哪儿都不舒服，它也不显了。

男：你等于是把自己暴捶一顿，摔地，撞墙，磕头求人——你起来一下。

男人从女人欠起的屁股下找出一版已经抠了几粒还剩几粒的药片，大脏手指头抠出一片，摊掌心递过去。

脖子一骨碌，全是鸡皮疙瘩。女人咽了药，眼泪也同时下来了，连忙用手擦。

大脏手指头在桌上一堆乱七八糟东西里扒拉出一包纸巾。

女人揪纸巾擦眼角。

女：我怎么那么讨厌自己呀？

男：别这么说，谁都有大了的时候，上次我还不是抱着化妆不撒手。

女：我就是讨厌自己，觉得自己一放开了，特别丑陋。

男：你这是酒后忧郁症。那不是你，是一漫画。正常时候，你还是挺好一人，大家都觉得你挺哥们儿的——真的。

女：你是说平常的我吗？你不觉得平时我就很装吗？喝大了出来的那个，才是真正的我。

男：你可千万别这么想，你会恨自己的。平时大家都装，不装早打出脑浆子来了。社会，就是一帮人在那儿装呢，跟家什么想法不管，见面必须宾着。谁不装，有人找你聊。人类，就是装着，才进步的啊——

男人张着嘴，打了个长哈欠。

女：我不是说别人，我是说我自己，一直在演一个自己，一开始以为别人不知道，其实别人全知道，就看我演呢……你懂我意思吗？

男：你太在乎别人怎么看你了，你不是也看出我演了吗？我在乎了吗？你也把别人想得太真实了，没人要看真正的你，就是要看演出来的你。我这么想也就算了，你，本来就是一个演员，你告诉我，观众每天看戏看什么呢？就是看你那儿演呢，你演得好，演得像，演得跟真的似的。

女：那是名正言顺演戏。

男：谁说戏子演的那个才叫戏了？你告诉我，就你周围，你熟的那些人，演本人哪个演得比你次了？你能学人家一点皮毛就能到处领各种小奖了。

女：还真是。小明星像小明星，太有钱的像太有钱，勤勤恳恳为别人活着的像勤勤恳恳为别人活着。特别低调不爱张扬的人最难演，我基本没拿准过，你说过我，别的导演也说过，一开灯就看见我脸上写着仨字：我装呢。那劲儿太难拿了。

男：关键是你心里写着个“装”字，以为自己不装，现在要演一个装的人了，一打灯把装照脸上了。要说还是你们演员单纯，往社会上那些老油子跟前一站就显出来了。装，不可耻，装得可耻才可耻。我强烈建议你观察生活。某人说他不装，从来没装过，你赶紧上去记住他长什么样，您见到不要脸本人了。某人岁数很大，某人可以原谅，他一定有想装正派但别人说他装反派很有必要很糟心的经历。他的真正意思是他不爱装反派。再一位可以原谅是这哥们儿是一可怜人，生下来家里就是一台戏，父母是好演员，演员世家，小学老师是著名导演，进课堂就给他排戏，栽培他，然后自己悟性很高，然后很快自己能给自己导戏了，自己找戏给自己演，怎么演努力，怎么机遇你要好好把握，怎么八十一难，怎么最后认为自己很成功。从来没出过戏的人我必须承认他很伟大。这就是腕儿。这是一境界，也是一幸福，咽气的时候可以非常轻松地告诉周围：我曾经走过。故事是烂故事，全是改编《西游记》。腕儿遇到，你也别聊了，他一定强烈反感表演是可以通过方法完成的表演系老师观点。他一定要你真听真看真经历，而且反对演员跨戏。

女：我就不同意什么都是真的，拍十条哭十条，都是真的，眼睛还怎么接戏呀都成桃了，还不哭死？哭是最骗人的，不懂表演的人才以为会哭就是会演。

男：你也很幸福，摆明了是演员，假一点没人挑你，不像我，站在这舞台，暗劲使得皮裤衩都撕了，还不能咧嘴，还要绷着，告白观众，一切来自自然，我就是这么一人。

手机响了，是男人的，男人看了看号码，没接，扣过来，让它脸朝下闷在茶几上响。

手机响了两遍没声了。

女：我不幸福，我来就是告你，我演不动了。

男人张着嘴，像是吃惊，其实正在打哈欠，打完哈欠吧嗒吧嗒嘴，擦去眼角流下来的泪。

男：你演得很好啊，很成功，今天看回放还好几个人夸你，说几个女的里就你最对。装纯，本来就是你的路子。

女：什么叫我的路子？我没路子。装也得装得让人真纯的信吧？你天天看我，你信吗？

男人拿起两个烟盒都是空的，起来找烟。

男：我不信，电视台买片儿的信就成。你不是也不赞成演什么就非得是什么吗？土匪有真土匪，流氓有真流氓，真纯的，我没见过。真纯会来拍戏吗？咱们是电视剧，谎言撒二十遍就成既成事实了。

女：我要信才能演，我不信了，没法演了。一个跟我毫无关系的人，我跟她也毫无关系，毫无关系扎的那围脖，打的那粉底，剪的那个头，我看着镜子就生气。她认识的那些人我也不喜欢，都什么跟什么呀！你们都有关系，就我没关系。我准备跟你谈谈，我退剧组的钱，合同签了我违约，你看着办，我不演了。

男人这时真醒了，刚拆的一盒烟拿手里，看了一眼顺手扔纸篓里，又到处找火。

男：戏都开拍快二十天了，你觉得你这会儿来跟我谈这事合适吗？

女人站起来活动腰肩。

女：不合适，我就知道你会拧巴，可是你要不拧巴，我就得拧巴，这么拍下去，戏也好不了。

男人抡胳膊把茶几上乱七八糟东西一横扫，扫出块空地，从茶几二层端出一张竹茶海，上面东倒西歪几只指甲盖大的黄瓷茶壶茶碗茶盖和一瞪大牛眼似的玻璃泡子，起身拎白铁壶去墙根饮水机接水，回来坐上壶，自己坐下，插上电源开关烧水，又从茶几最底层掏茶叶筒。嘴上一直叼着一打火机。

男：咱们都先别冲动，先别忙着做决定，在劲儿上看事态都是扩大的，咱们事儿归事儿，心态先放好，都能解决。你是不是把电视剧当作品了？

女：我不是一时扩大，也不是换一种冲动酒炸。我不是一天两天了，每天一醒就郁闷，就不想出被窝起床，就想哭。每天吃饭都觉得自己在干一件特别愚蠢的事，在浪费生命。每天蹲在现场你们忙我都问自己：我为什么呀要蹲在这儿？我缺钱？我想借这戏出名？什么都不为我为什么这么委屈自个儿？——我能问你为什么老叼着打火机吗？

男：哦，我说我记得拿起来了。这可是照你写的剧本，一开始你可是觉得本子很好，很兴奋，说这是一讨好的角色，一开始你红的几个戏都是演讨好的。

男人哗啦哗啦转了两下打火机轮子，举着火找烟。

男：抽一根你的啊。

女：是，一开始我觉得本子很好，现在我也觉得本子很好。咱们不是聊过嘛，俗是免不了，俗是必要的，我能不知道什么是电视剧吗？你讲话：这叫人间烟火。我很同意。我也烦那管脸色苍白叫心里有事，叫坐起来品——你讲话。

水烧开了，咕嘟咕嘟叫人。

男人叼着烟，烟直奔眼睛。男人眯着一只眼，一手高举开水浇茶碗茶壶玻璃泡子，一手放下开水拿小勺舀茶叶，再举开水，沏，连壶折玻璃泡子里流出黄玉色。

另一只手背在身后死死攒着打火机。

啪——打火机被拍在茶几上。

十个手指头尖一起捧着指甲盖大一碗黄玉水，献到女人面前。

女：呣，好喝。一开始我也觉得我能演好，不就是对镜头傻笑吗？可是演着演着就觉得不——高——兴。每回看回放你们都在那儿笑我就马上蹲一边捂着嘴别让恶心翻上来，沉沉说你是不是怀孕了？听自己的声音都想抽自己！我知道自己都是假的，傻笑是假的，不高兴是假的，怀孕也是假的。——我不反对讨好观众啊，我举双手拥护讨好观众，我也很想讨好……

男：咱们之间就不必了，咱们之间说观众都是二批也没关系。这茶好吧？

女：好，这茶跟醒脑药似的，我现在脑子里跟有人擦玻璃似的，一阵阵明白。观众里有明白的，我还真不是这么觉得的。

男：这是我一朋友送的，说你要早上醒不过来，拿它醒，特别醒。那就是我一人的观点：观众，你要不批准他为依他就批你违章。

女：怎么没人送我东西呀？我人缘怎么就那么不好？问题不在这儿，问题在本子好，导演好，摄像好，美术好，其他演员也好，观众也好，你们都好，就是我不好。

男：你缺东西吗？你缺我找人送你。我都想到了，都备了后手，投资人我备了两手，就是没想到你这儿会出问题。不奇怪，偶然都是必然和巧她妈生的，早晚有这么一天。

女：巧她妈是谁呀？

男：赶巧。你是巧儿，谁能给你往家赶呀？上星期我预感就不好，上星期我就觉得要出事不知道事出在哪儿。上星期散戏早我去夜店小坐，一进门就有人在我后边黑影隔俩肩膀喊：装逼犯，迟早要完蛋！

女：喊你哪？

男：也不知喊谁呢，回头一瞧都朝我摇头，什么意思？哥哥光明磊落，再往里挤，已然颓了，这么黑，怎么又被发现了？你在呀，进门时候还在，进屋你就不在了，也不知窜哪儿去了。

女：你老是这样，一有事，自己先颓了，以崩溃对崩溃，我一定要学会你这手。我这不是找你商量来了吗？

男：这事还有商量吗？没商量咱们也别费劲了，我就不愿意劝人，劝来劝去好像我多想不开似的。明儿我就去跟投资说，先停，再说换谁，比你次的还是能找着。

女：其实我也很犹豫，这一不演肯定牵扯很多人，大大得罪一群得饿哥，组里人背后还指不定说我什么呢。

男：你就是因为要上别人的戏不好辞，跟我这一晚上说的都是瞎话儿，你也得罪不了我。我还拿你当朋友。我是你的粉条啊，千万别忘了这点。抽烟抽烟偶像，喝水，水一定要浇透。

女：尽管你一脸不真诚，我还是爱听这话。你也把我想得太深了，我没那么深。

男：老实说我一点没觉得这本子好，属于可拍可不拍最好不拍的，当初你们都说好，我还怀疑自己呢，是我错了？你现在犹豫了，我最开初，本儿刚给我送家来就犹豫，接不接？那还是第一稿呢，基本大事都由明臭儿组成，主要人物一张嘴必有恶臭。我是捏着鼻子死去活来好几天，才看完。看完特别厌世。我拿去给我女儿看，她一边看一边评论：平庸！平庸！

女：你太不够意思了，你舔了泡屎装一点心匣子又给我送来了，你电话里怎么忽悠的我：有一戏你一定感兴趣，戏里有一人物太活了，是我见过最讨好大学以下小崽儿——叫老徐的，只能你演。……和目前正播的戏比，就是好剧本了，搁从前枪毙的里头也是中上。你还伪装兴奋之余，问我是不是认识编剧，这人就跟照着你写的差不多。你这人太阴险了。我完全不能再信你的话了。

男：我不是也得挣钱嘛，也不能老跟家待着。我判断了一下，这戏最瞎能瞎到哪儿去？得出的结论是：不怕。平庸不怕，平庸顶多是一没人看，问谁谁不知道。把明臭儿改了，明臭儿算了，现在就宣布自己脑子进水早点。我跟投资的哥们儿说，这戏，要拍？非得找你演。可是要找你演，剧本得改，照着你改，这样你才能答应。

女：你太坏了，我还一直拿你当哥呢。

男：要死，也别光我一人死，多拉上几个。我亲自上手改的剧本——妹！去年夏天，你在夏天碰见了谁？你们都在外边耍，我一人闷家里，草绿没绿没看着，下楼已经是秋天了。就为咱们大家死得别太难看。那编剧根本指不上，问他平时爱看什么片子，说的都是咱们觉得怎么也不至于，但人家就这么拍了，就蒙你了！所以你还别说那种片子没人看……

女：我什么时候说没人看了？那都是你说的。

男：真有人爱看。不是都拍花子似的拍脑袋轰进去的。我说的就我说的。这还真改变了我一观念，我现在比较同意，有什么样的片子就有什么样的观众。观众很可爱，观众能吃粗粮。

女：你的毛病是，你老要求别人是你，不是你的就封为白痴。

男：聊一次我说别聊了，叫投资那哥们儿赶紧把本儿买了，给编剧钱让他走人。我现在好编剧的标准，就是写完一稿扔了不管的。烂戏一点不省心，这回我信了。投资人是哥们儿，得对得起人家。你也是哥们儿，也不能让你太寒碜了。来的都是哥们儿，都不能让人觉得我这是最后一回。拍的过程中，至少要让全体哥们儿认为这是一很有奔头的戏。我不是光忽悠你，我是先忽悠了自己，再挨个忽悠每一个人。戏拍完了你们全散了我还得往下忽悠呢，忽悠电视台，忽悠淫媒，最后希望传说是真的——观众全瞎了。说出来令你发指，我一个不敬祖宗不畏鬼神的人，现在每天晚上进床跪被窝里叉着手祈祷：上帝，谢谢你让我过完今天。求你，让我过明天。

女：你太可怜了，咱们这戏有这么次吗？

男：相信我，我现在没必要骗你了，有这么次。千万别同情我。我不是为你这么可怜的，我是为我自己，我在这里头是有好处的。千万别同情我！我是算过账来的，好处重要还是自己重要？好处重要。是不是必须扑成这件事？是。人挡着我，我就给人跪下。我不惯着自己。我就给自己规定了一条底线，咳，都这副模样了还说什么底线也很可笑，不叫底线了，叫牌坊。我给自己背了块牌坊，到哪儿都背着，我就不说我是为你们拍戏，我就说为我自己，挣钱，买房子，买好房子，买好车，过好日子。行吗？

女：我正在想，你是不是又在忽悠我呢？我正在琢磨，此刻你要给我扑通跪下，我怎么处理？

男：这就跟当爹似的，要真当一回才知道——你当一下。

女：千万别！以后咱这关系没法处了。

男：我这刚抻一下懒筋，你就跟自己急了。你处理不了。你了解自己。心是瓷的，硬，但是禁不住别人抡圆了把自己往地上一磕就碎。是个能让不堪入目拿住的人。别怒了，我没打算摧残你。以无限下贱磕路我也不轻易使，磕一次对我也是一次惨烈的付出。没到那份儿上，一破电视剧，顶多不拍了。我明告你我心里真实感受，你才一说不演了，我差点没乐喷出来，这半年着急上火心里积的堵一下全清了。你还怕我拧，我还怕你不高兴，觉得我不正经，都不敢正脸瞅你，赶紧弄茶。我也不知道我怎么那么高兴一听这丧信儿。这茶把我喝骇了。

女：这茶是有点让人起，瞧我这手心都滴水了。——我看见你乐了。你一受惊就乐你自己不知道。你那防抱死系统就那样，哭死是多少年之后。上次咱们组服装车在你眼前撞了人，你就一直在乐，挨撞的爬起来了，蒙了，你还朝过往车辆乐。——哎，你真给人跪过呀？

男：等一下，我这还有一东西和这茶是绝配。

男人飞奔进里屋，佝偻着出来，怀抱一阿拉伯落地水烟，一扭脸开了房顶灯，笑眯眯地装双枪。

男：冰箱里有冻橘子汁你给我拿一瓶来。

女人低头往冰箱里看，拿出一瓶橘汁。

男人拧开盖子把黄色往玻璃过滤瓶里倒。

男：现在我是真高兴，嘴绷不住心里也合不拢，吓乐的也不至于这会儿还回不来。加点白的我告诉你更棒。

女：不要不要。

男：先别拒绝，你尝尝，什么事都不要上来拒绝，你先看看我这是一什么状况。

男人脸一黄，从冰箱冷冻室里拿出半瓶结着霜的蓝标伏特加，炫耀地凑近给女人看了眼字母，直接倒嘴里一大口，眼睛一下瞪圆了。

男：嗬——冰爪子！一条线，解这儿下去，涝肚儿里就成一腔火了。你来一口，洗洗胃。

女：坚决不。

男：可能是我也早不想拍了又没理由，你一说，正中我下怀，没我责任了，先为没责任高兴。如果你心里是钝的，身上皱，四肢打不开，就来这么一下，直接整嗓子眼儿里，保证爽。冰火两重天。你看这酒都冻黏了。我听说哈尔滨东北有拿这洗桑拿的，那得爽成什么样？他们丫真会享受。

女人打开一盒烟丝，送鼻子尖闻。

女：好香，草莓。抽了不晕吧？

男：跟抽蜜似的，从我这窝特嘎日出一过。就倒一丁点，你尝了再说不好。

男人夹起一炭球，点了打火机烧，火星劈啪乱溅，男人放二踢脚似的直着胳膊，躲着脸。

男：真人没跪过，心里一不留神就跪下了。真跪别人看见寒碜，心里跪自己知道寒碜。所以怕做事呢，知道自己几个环节上有软骨。最惨烈的情况我都想过，跪了，把自己当口痰啐地上了，对面当没瞧见，再跟我似的，乐了——就不给你丫这面儿！你帮我拿会儿炭。

女人平着胳膊。

女：你知道我怕什么吗？我怕你让我觉得你是一穷人。你玩得太小。我不跟穷人过沾钱的事。

男人默然无语。

男人半跪着神态专注地往花瓷烟锅里填蜜色烟丝。撕了一方锡纸脸膛刹那匀了。忽然一肩高一肩低——掏自己裤兜呢。食指中指钓出张嘎嘎叫的红一百人头徐徐而出——大拇指挣巴得都藕荷了。红一百很强悍红一百抚平锡浑身死褶儿，五指帮忙封在烟锅上扎紧纸脖子。铜签子很尖锐铜签子在锡脸上捅了一圈蜂窝煤。铁夹子前边两排锯齿儿铁夹子长得像鳄鱼咬住哭红了眼的炭球摆锡脸上。锡脸也气黑了。

男人站起来四顾茫然。

男人弯腰手巴掌拾起黑管软枪头。黑管螺旋而上长得像簧其实没弹性比谁都干。枪头脚脖子一双不锈钢袜子通身樱桃木还是茄子三合板演的？有腰，有那么一收一出溜，兆字去四点，老让手握。屁股没分瓣。头没有，到肩就停了。腔子探出一只脖子，脖子直挺挺撅着个小嘴儿，没脸，是黄种人皮筛，只是光，只是硬，只是凉，有铜吗不知道。

枪嘴儿递给珐琅质门牙上有烟斑。两条裤腿空虚地站在那儿里边没人抖起来喉咙咕噜咕噜响。头发人很多头发没吭声，脑门面儿很宽脑门没看见，眉毛跟打了胜仗似的一根根展开。

牙咬着枪嘴，牙啃过枪嘴，牙有点豁，牙吐了枪嘴，唇赶忙抿上，人中有点跟着叫劲有点扳着；鼻子很从容鼻孔都张着一边一窟窿；睫毛很精神，睫毛以为自己是黑客排长；水晶体再多点再青点就贵了，就挖走当鸡血石卖了；眼神比较聚光似笑非笑瞳孔照见了女人。

天花板突然旋转突然一池冻白糖连石膏压下来。

男人扬脸吐出长长一条灰绳子，把枪嘴递给女人。

男人摆布女人。

男：你最好躺着，卧佛，见过吗？你躺这长沙发，我躺这小沙发，跟喝酸奶一样，不用太使劲，使劲水嘬上来了。

过滤瓶咕嘟咕嘟冒泡儿，两个人卧着，各叼一烟管儿，喷出一股股烟，顶灯立刻被打出光束，慢慢一些烟在光里形成云霞，蛇一样伸展着，爬行着，最后像一道道山脉，一缕缕长丝，越来越长，越来越婀娜，越来越懒散，越来越白净……

台灯在桌面形成一个孤独的光圈。

女：舒服。

男：舒服吧？还能更舒服，你等着。

男人起来支上电脑，扒拉着鼠标，开了一个个窗口，搜出一栏文件箱，稍一盘旋，小箭头指向一花篮子——食指一点头。

一顶棒球帽子，一件汗衫叮一声活了一样响起来。手拿起帽子卷走汗衫，原地站着两只烟盒大的小音箱。

女：我有点怕，太舒服好吗？

男：你怕对自己太好了？这是给咱们戏写的几段主题，你也帮我听听，心情吗？

女：好听。

男：音箱小，里边铺的一层鼓听不出来。这是音乐学院一小孩，挺有才的。到咱们组里来过，上次刘老带一帮总儿探班完了一起去“越来越露山房”吃饭坐我旁边，挺白的，可能你不记得了。

女：给崔雄健写过歌的？

男：不是，给王飞得慢写过，给那时还是英国写过。

女：你怎么不写一歌啊？

男：别别，别瞎聊，不是一回事别往一块儿磕。我凭什么就非得写一歌？我怎么了我？我还想画一画呢，我……

女：拍电视剧拍得我胡说八道的。

男：电视剧是太毁人了，严重体力劳动，严重脑力劳动和体力劳动脱节。磕不动了，再磕就瞎了，就成瞎摸磕眼了。我要疗养去，这次劳改结束。我要去海边，海边有海啸。我要坐飞机，有时飞机没人碰自个儿掉下来。我要吃烤鸭，鸭都感冒了。我要吃牛的排，牛都疯逼了。我要上山去，但不要上火山。我要我在家里不赶上地震……我一直想拍一、一帮人特舒服的电影，写了几次没写动，话都在，人还有，都存脑盘了，就是想不清楚该是一什么事，什么事能让人特舒服，上下一起舒服，里外一起舒服，全身都很舒服？没有。心里舒服手上就痒痒，上边舒服下边就喊疼，全体舒得不服。走，走，一走进现实，现实太醒药了。

女：那就别去现实。

男：你不去现实，现实去哪儿？咱们这代人……

女：咱们是一代吗？

男：就说互相都看得见的，你起小看大我，我起小看大你，都没走多远。没玩失踪的。

女：哦，你是这么分的。

男：跨着六七十年代的……你不答应就再远点，五十年代尾的。五十年代尖儿的不能再加进来了。五十年代尖儿，干得都劈了。六十年代都干裂缝了，五十年代能不劈吗？太旱了！土都到盆骨了，拔不出来了。也许再埋一代，八十年代，能出点舒服的人。

女：八十年代已经在社会底层了，我看都挺苦的。你可以虚幻一点。

男：我就是不想和土扣得太紧。土太狭窄，土憋着憋着就要截你了，问你们家哪儿的，哪庙的？我就是不想被土憋到任何一队里。可是得出事啊一个剧本，一出事就很实，一实土都来了。写一鬼？也住北京，也挺土的……

哐，一脚门，二处站门口。

二处：没事吧？

男：没事，都挺好，你好吗？

二处：就一句话，找着一部队的老医务室，稍微改一下就能生孩子，照片拍回来了你要不要看一下？

男：甭看了，部队我熟，我就是医务室长大的，我还动过刀呢，我还给人割过鸡眼呢。

二处：那我就通知全组按计划美术道具先出发——我这么理解正确吧？

男：严重正确。你说我不像，我也说我不像，可是照相馆非说是我。

二处：我听着这已经聊的很远了。

男：你就别加入了，你再加入，更回不来了。

二处指了一下面朝里的女人，合掌托脸做了个睡着的姿势，笑着出去了。

男人抬起身看女人。

女人翻身转过来，皱着眉。

女：我怎么有点头晕呀？

男：烟抽的，你刚才那几口有点狠。

女：没事吧？

男：没事。你眯会儿。

女：明天的戏还拍呀？

男：听你的。

女：你这人，一点责任都不肯负。

男：你太像我认识一人了，就爱跟人借钱，人一咬后槽牙，她就说你没钱，穷，毛儿长。关键是她自己的钱都被自己偷光了。

女：我拍多少场戏了？

男：这我得查场记查单子，这些天净抢你的戏了，你不是号称后边还有一电影等着你呢？青年时代没几场了，我这两天正跟化妆师和发师商量怎么改你的妆呢，你不喜欢事逼似的把头发都盘起来堆脑袋顶上吧？

女：你心里另外有人了吗？

男：你甭管我，你甭替我着想，你要替我想想，你就没法替自己想了。你就想你自己，最大限度演下去你和自己的关系会不会严重恶化，到无法弄的地步？会，放弃。咱们也实行以自己为本，凡事都往十年后想，十年后还是不是事？百年就不必了。谁是朋友啊？最后都是百年陪自己。我愿意你一想起我，都是良好回忆。青年时代和谁一起过很重要。我一想起我的青年时代，发现一生的时光都度过了，这辈子要来的，和我有约的，都来过了。往后就是熬天数，尽快熬干尽快熬干。往后认识的人都是各大战场致残致俘送下来的荣誉军人，鬼也见过，在一起也很方便，在一起经常互相慰问。

女：你能别那么多话吗？你话太多了。我这刚要想点事都被你岔了。

男：我不说了，我安静，你想。

男人站起来，一捂脸。

男：我怎么也晕了？

女：你干吗去呀？

男：厕所。行吗？

厕所里。清水砸白瓷的声音。

男人在一边送尿进洞，一边乜着眼睛从旁边镜子里观察自己，一副瞧不上自己，一副嫌弃的样子。

唉，自己叹气。

一解裤子反身坐下了，闭上眼睛使劲憋脸。

窗外。北京之夜。火光冲天，人车鼎沸。天居然很蓝，很不像夜间，像九寨沟那种融了什么酮，那种矿物蓝。还能看到白云在矿蓝里徜徉，像彻底虚了的白胖子。

城市上空可以很清楚地看到一层红雾，红气，红土，在往上走，在无边无尽无数灯光的抬举，抬动，托举，耸动，扇动下，越往上作为一个罩儿看得越形成：有部分像大面积已然落地的降落伞，很柔软地起伏；有部分像充气卡通人物，还真长出一座座歪倒斜起的庞大身躯，一尊尊摇摇摆摆笑态可掬的头；有一处像跳水还是蹦床运动员还是自杀者跳楼——还是他们谁都没用过的，大气垫床，再阔大夸张一百倍——小孩用过，小孩游乐场有那东西，网子围着，卖票，小孩脱了鞋进去，在上面跳啊跳——那不就是蹦床吗？爱是什么是什么吧，不争了，盛满气球的游泳池。去你妈的不聊了。

男：这就是那个叫红尘的东西。

男人的一只手特别不识趣地横在女人眼前，指着夜空。

男：万丈。

男人拉着胯提着裤子从远方猛一步跳过来的相儿，自己那儿乐。

厕所里。冲水声还在发出最后的呜咽。抽臭机正在开动猛烈旋转。

女人一言不发，掐了烟跟他失臂而过，进了厕所。

厕所里冲水，厕所里洗手，厕所里又冲水，水管子关了，半天无声。

男人表情严肃，想着事，盯着厕所门口，端起一小盅已经凉了的黄水慢慢放到嘴边。

白灯射下来，厕所门口肮脏的脚垫一下透彻了，那些毛毛、絮絮、头发、烟丝、线头、碎纸片、弯指甲、人渣儿、饼干渣儿、肉渣儿、茶叶碎、正经八百的泥；不知道是什么结成的一疙瘩一疙瘩，一饼一饼，一拓片一拓片，一饺子一饺子，板实、死揪、凿倍儿、糟改、腻！黑灰，黑绿，黑红，再加点蓝，再加点白，再加点咖啡，再加口酱豆腐，再加点辣椒，再加点咖喱，再加点浆，再加点屎，再加点尿，再加点痰，再加点月经，再加点精液，再加点内蒙刮来的沙，陕北飞来的土，本屋的油漆，天花板掉下来的膏，空气中的灰、浮尘、细菌……不聊了。

女人的脚踩在上面。

她梳洗了一番，精神了许多，拿着一管肉色的唇油往嘴上涂。受到男人的注视，白了他一眼。

男：你觉得老徐你演不了？

女：演不了。

男：你觉得不是你？

女：你觉得是我？

男：你觉得老徐该什么样？

女：你写的你不知道？现在整本说的净是你的话。

男：我是这么想的，你听听可行不可行，重拍损失太大了，你妈家、你单位、你第一个男朋友家景都拆了，能不能再找着这笔钱也不一定，预算至少超一个月周期，投资方儿家关系很复杂认不认也很难说。我能力范围，咱们俩之间就能决定的，最能让你满意也让事儿满意的，就是调整剧本，改人物。我尊重你意见，你觉哪儿不好咱把哪儿改了，话儿不那么说话儿这么说，你觉着难受咱不让你难受咱怎么舒服怎么来，你觉有戏吗？

女：要说也没有改不了的东西，说实话——我能说实话吗？

男：能。咱们就是为说实话才坐到一起来的。咱们之间要不能说实话那成什么了？咱们之间言论自由那是必须的，至少我允许你对我言论自由。我要听真话。

女：你太唠叨了，在现场你就唠叨，老徐也唠叨，叨逼叨叨逼叨台词每段都那么长，我现在一听你说话心就乱。——你能先别让老徐那么唠叨吗？多招人烦呀，她不是一什么都懂的人。

男：能。让老徐话少。

女：说实话——咳，被你岔了一句，这会儿再说也没什么意思了。

男：没事你说，我爱听。

女：我不是太有信心对你——说实话。你别说话，让我先把话说完！你没觉得你是特固执的人对不对？你觉得你很讲公平，很能听别人意见，我听你吹过人人平等，最反对强加意志给别人，不让人讲话就代表不自信，当时你就一脸优越好像你最让人讲话我就不说您是民主本人了——不许打断我！其实你最不听别人意见，最不许演员有意志，在你看来别人都是笨蛋，不是笨蛋你也要变着方儿的让人相信自己是笨蛋，进这个组前我没觉得自己笨，现在我经常觉得自己是个笨蛋——你很得意吧成功地贬低了别人？你知道组里人背后都叫你什么？那个自大狂。简称大。大来了，大走了，大又拧巴了。当然了，导演都是自大狂。

男：我能说话了吗现在？

女：不能，你要反驳就不能。

男：我想说我都承认。我不反驳。演员都不是自大狂。原来我压抑了你。接着控诉。

女：演员当然都很会来事了。演员有几个不处于导演的淫威下？最多也就是摆摆谱，你可以说他们很虚荣。——你是表面平等对谁都很客气的样子，因为平等牛逼，你想有那种品质。这可不是我说的，是小霍说的，当然我很同意了。你被我们一致认为是平等的扮演者。你瞧你现在看着我那样子，一副对我很容忍的样子。

男：我点头也不行？

女：我已经习惯你拿眼神否定我了，没关系……我不是笨蛋。

男：你不是笨蛋。

女：为什么你一看我，我就觉得自己是笨蛋？来我就想到了，我说半天，你迎合我半天，最后说改，最后什么也没改，结果一定是这样吗？每回跟你谈剧本都弄得我跟花痴似的。你记不记得本子刚给我的时候，我跟你聊过，咱们在你家，那时候组还都没建，我说这人物像男的，你说我就像男的——你收回这句话吗？

男：我收回。

女：我提一条意见你就说是我，拿我堵我，你了解我吗？我多诚恳，你让我说我就说，优点多说，不足轻描淡写，只说了一条担心，整个剧本读下来人物印象不深，编剧印象很深，聊来聊去都是一个人，不瞒你说看到一半剧本，我晚上做梦梦见的全是你。我很感激你把很多重要台词给我，我担心别人会以为我是自大狂。当时你就疯逼了。你说会吗？我说会。你说我是老看次剧本把档次看下来了。

男：你绝对没说自大狂这个词。

女：我绝对说了。当时你自大发作，沉浸在自大狂中，对我进行百般羞辱，所以没听见。——你自大到高潮的时候，是空白的。

女人站起来，演大的样子。

男：你已经学会编造一些事实歪曲事实了，你快可以写剧本了。那天咱们是不是先去“沸腾鱼”吃的饭，饭后才回的我家？沉沉她们半截来的，半截又走了。你送了我盘许人家高的新专辑，本来是你车里的，我听了觉得其中一首好你就送我了，那天我没开车车被宝宝开走了。

女人还大在那里。

女：是，去“沸腾鱼”吃的饭，你坐我车，但我没送你许人家高的专辑，我根本不听许人家高。我车里都是钢琴。

女人放了自己，走回椅子，手势继续很丰富。

女：不是你想说明什么跟我扯这些？说明你记忆力比我好？说明那天我没到你家？咱们没聊剧本？那些话都是我想象的？你要我重复你当时都说过什么吗？谁谁谁成一摊了，谁谁谁也成一摊了，放眼望去，一摊一摊的。——那都不叫艺术，叫货，货走得快不快。

男：显然是编的吧，显然是不懂吧？我是经过粗俗化运动打了戒断针的，艺术这种病人说的话要能从我嘴里说出来我能立刻倒地而死，还有优雅，还有高贵，不死也要抽自己至死。——我最多说那不叫玩意儿。我为什么暴怒？你自己说过什么傻话你全忘了。你首先问我这戏打算拍给谁看，才说你对剧本有担心，爱情写得不够，您担心当代年轻人可能不爱看。对不对——对、不、对！你不承认就是默认了。

女：我没说错你吧，你现在就在强加我。

男：我这不是强加，我是在非常理性地和你共同回忆当天的情况，还原事实真相。我问你谁是当代年轻人——你吗？咱们谁都别代表别人说话，就代表咱们自己，你觉得不好看就说你不爱看。——这是我说过的话没错吧？我说，谁说这是给当代年轻人写的戏了？我这是写命！你说，没看出来。我公平吧？公平吧！是怎么回事就是怎么回事，我不掩盖事实，藏着一半评另一半的理儿。只要是事实，我勇于否定自己。

女人起身往厕所走，男人追着她滔滔不绝。

厕所门在男人眼前关上，男人趴在门上不停地说。

男：我是嘲笑当代年轻人了。当代年轻人，多简陋的一称呼。你怎么不说我们小资了？你说我就是小资，怎么了？我说，大部分小资何处去也？你说还在当白领呗。我说白领还是人吗？你说你终于不演了，露出了你的——势利。

门开了，女人拿着把梳子梳着头出来。

男人倒退着，一路挡着女人，嘴里马不停蹄。

男：我说没有当代年轻人，只有痛苦的人，绝望的人，愤起与自己叫劲的人，反转儿上狠了往哪边拧都不脱扣的人，沾沾自喜——小资就是这种，刚到一大楼里被录取为碎催，俩月挣个车轱辘钱够上街买点假名牌盗版敌敌畏，知道点儿人名，就美了。小还滋事。

女：躲开！我不跟你聊了。再一次证明你这个人，只要一有人反对你，你就挂上牌子：自大中——你急了。

男：我没急，你甭搞暗示。这种取消辩论，宣布别人丧心病狂的招儿都是我使剩下的。——全世界的寒碜都被他们捡起来了！

女人躺沙发上装睡，男人弯腰冲着她脸。

男：不分年龄，不分有钱没钱，就分知不知道寒碜。你知不知道寒碜？你知不知道……

男人拿手指头捅女人。

女：我不知道寒碜！

女人喊了一声，翻身朝沙发里。男人在她空出的边上坐下，靠女人身上，一只肘子压着女人的背。

男：穷人还都在动物阶段，有俩糟钱的还都在穷时候做的不正经梦里。幸亏贫富悬殊越来越大，谁也别臭美——你大爷的！你觉得有真有钱的吗？你觉得有人民吗？你这么傻……必觉得有。

女人推开肘子坐起来。

女：你压死我了。

男：就是说你同意了？

女：什么我就同意了？我根本没听你在说什么。我饿了，你这儿有什么吃的吗？现在酒完全醒了，头也不疼了。

女人神采奕奕的。

男：没有当代年轻人，没有人民，只有每一个人，你，我，王二麻子，我们就是盼着，殷盼着，黑了心盼着，找人民也找不到，也不可能，人民没在家，在家的是王二麻子，我，你——你就是人民。——所以你同意这戏拍谁的问题已经解决了，就是要拍自己，拍到自己满意，以后谁满意谁再说。有山楂、巧克力、饼干——这儿种饼里日本这种比较好吃。

女：我不是人民，你是人民，我哪配是人民呀？我想吃口正经饭，都吐光了。

男：你是人民，你别谦虚了，人民想吃饭，必须满足。

男人打手机：你现在马上跑步到门口“姐夫家”，买五样甜粥，五样咸粥，白粥五，饺子五，馅饼五，五——不，八份鸭蛋！五小菜儿，五卤菜，五冰啤，要快！

女：咱们门口鸡太多了，上次我从那儿过都让人当鸡了。

男：等会儿等会儿。

男人把桌上台灯拿到地下，在女人脚边摆了一下，又放远一点，在地上移动。

男：这个光你看着比较母一点，像是那种正在为别人忍受痛苦的伟大女性。别跟我说鸡的坏话，我很尊敬鸡，鸡很真实。

女：我知道你尊敬鸡，上次你喝真实了跟鸡走了一睁眼在农村，打电话：我也不知道这是哪儿，周围都是山。

男：嘘——小声。你怎么知道？

女：都传遍了你还当是秘闻呢。全组在“密克斯”等你，群众演员都来了，假骇也开始了，二处说你被总局找去谈话了，第二天还谈话？二处说你可千万别告诉别人，你家出事了，保姆让人杀了。真行。

男：这是我跟二处交代的，瞎话必须编得狠点，让人觉得撒谎没这么撒的。还要瞎话套瞎话，一个遮不住了还有一个，还是传出去了。

女：还是传出去了。听说是找粮哥找了公安部的锁定了你手机，武警进去的时候你正拜天地呢？

男：这绝对是瞎说！这绝对是段子，拿我解心烦。我就在家一个人，精神临时分裂了，幻想临时视觉了，家变成山，山变成冰河，冰河变成瀑布，屋里还有好些不认识的人……不说了，这事不说了——进！

一剧务小伙子拎着五兜子饭盒一兜子啤酒进来，在茶几上一盒盒打开，码成一片，码成二楼，瓶开了，筷子摆了，餐纸摆了，还找了半天，屁兜里找出一小袋醋一小袋辣椒糊黑糊糊油汪汪倒盒盖上，一言不发出去了。

女：太会办事了。还有人吗？

男：没人了，今儿就单请你。别替我省，敞开吃，吃不了糟践，糟践不完看着，不爱看扔了，砸坏人算我的——不信你能吃死我！

女：你疯了吧你？

男：我是疯了，我也觉得我疯了——被你逼疯的。不不，我收回这句话。我是好好待在屋里，躺被窝里，都脱了，关灯了，合上眼了，万念准备灰了——突然蹦起来疯了。您这一搛馅饼一蘸醋，一翻腕，奔牙上那么一咬一吸溜，解热又解馋，胡同妞那基本架势就出来了。

女：我怎么那么爱搭理你呀？你们家是大马路的？

男：我这是夸你呢，我觉得好，吃饭认真特别美。咱们还是老规矩，什么是好不知道，什么是不好——不能要的先排除。还是照错误人人有份纠正一律平分的原则，我否决你一次，你就有权否决我一次——你有权否决我两次。

女：你说的永远比做的漂亮。你不吃吗？馅儿很香。

男：先说咱们都同意的。我就吃鸭蛋黄，我买月饼也就为抠黄儿，我让你们占我便宜。政治不能碰，不满现实的话少说，解决不了问题还不负责的话不说，原来说的都删了。

女人吃着热馅饼，嘴里烫得含糊不清。

女：重译。

男：世界上的，大哥今儿又打谁了，大哥明儿又打谁了，野生的，地球的，太大，够不着的，能少聊少聊。

女：同意。跟国外没关系。

男：大的不能要定了，下面说小的不能要，你准备实一点，内一点，收一点；还是虚一点，外一点，散一点？

女：散一点，但是我不能散成小丑。

男：成功人士就不必了。

女：不必了。

男：美女不必了。

女：至少不能自己叫自己美女。

男：床上戏没什么新招就不必了。有话地上说。

女：沙发上说。没事别老洗澡。我可以看香港电影。

男：你不能看香港电影。你不爱看香港电影。

女：我爱看香港电影。我要开宝马。

男：你不能开宝马。

女：我其实是双重身份，表面是白领，背后是那种高科技的，懂电脑的，能一脚踢死人的……

男：小偷吗？你不能是间谍。

女：我要精神失常一次。

男：你不能装疯。

女：你什么都不答应我。我不去看大海。

男：大的剧情不能动，只能三个男朋友，五个女朋友，其中两个是化友为敌的。生一次病，离一次婚，一次自杀未遂，一个爸爸一个妈妈一个兄弟，因为这涉及其他演员，动了他们没法演了，钱都给了，不演不成。

女：反对自杀。

男：那就是吃错了药了。孩子还生吗？生可一会儿就要生了。

女：不生。

男：你再好好想想，生一次孩子跟演一次被强奸一样。没孩子有时候你不好回家。

女：我否决你。我不爱演慈祥。我最怕激动地去爱一个人，跟男的我都出不来。没孩子我养一缸鱼也照样回家。你后面还打算拿孩子说事吗？

男：也不打算，就是怕后边跟别的演员的戏都演完了，你一个人了，没人跟你说话，给你埋个说话的人儿。最后一集床前得有人啊，要不你太惨了。

女：我不怕我太惨，我就惨了，看观众心不心疼我。

男：有孩子也可以很惨，来了，站在床跟前，但是眼睛里一点感情也没有，你死了，她转身走了。

女：观众会谴责她的，我不想让她被谴责，我谁都不想让被谴责，一个都不谴责。

男：这个想法就很慈祥啊，看来你还不是全无人性——我不侮辱你了，我从侮辱你中也得不到什么乐趣。那就不要孩子。一个也不谴责。

女：对我不好的也不谴责。中间那个坏人，一直骗我的，也不谴责。也不讽刺他。

男：你决心演个好人？懂你意思了。坏人也不讽刺，坏人也是不得已，坏人也有困难。

女：他觉得那么做是对的，你要这么写，想法不一样。

男：那就要给坏人加戏了，他也很痛苦。

女：不要痛苦，你这种粗俗运动打过针的，痛苦怎么不倒地而死？要轻松，要快乐，遇见什么事都是含笑的，多倒霉都一样，生活就是这样的。这粥真的很好喝，你尝一口。

男：不尝！

女：你又憋什么坏呢？

男：我没憋坏，没要反对你。我觉得被你教育了，生活就是这样的，一切都是理所应该。我得抽根烟，停会儿，你真是这么想的？

女：我不是真这么想的，但我想演成这么想的。生活当然有很多很可怜了，我又没能力改变什么，我一个小女子，最好谁也别得罪。

男：想的好！看来小资运动也出精神，生活不能改变，我就改变，谁也甭想破坏我的好心情。有点意思。不是装傻？

女：不是装傻——该装的时候也得装。

男：看来我要重新检讨自己，可以虚荣一点，可以喜欢村儿上的……

女：不提人，咱们不提人，万一换人了呢？可以提牌子，你不知道牌子我告诉你。也尽量照顾你，别让你这种谁也瞧不上的人太难受。

男：谁跟你说我谁也瞧不上了？我瞧上人多了，跟你说也不知道。不聊了，聊正事。这么粗一看，动的量可不少，态度变了台词全得跟着变，事儿也得跟着变，好多事不成立了，重新写事——这不等于重写吗？我又崩溃了。

男人抱着头躺到沙发上。

女：你先别急着崩溃，我都替你想了，不用大变，小变就可以了。还是这些事，把不该我说的——你想说的那些话拿掉，我不说话，默默的，事就这么进行了，我该回家回家，还是这么倒霉，坏人都知道我们家住哪儿，都接得上。不信你把前边戏不带声音看一遍——准的。

男：长度不够啊你这几十集净默默的了。没那么多事呀一句废话不说。

女：那就说废话。不含沙不射人你就不会说话了？你平时瞎掰我听也不全是正经的。

男：色情的，能上电视掰吗？我想想吧，你借我一点时尚杂志看看，你那儿不是好多呢吗？我找点庸俗的，庸俗我好像还可以。

女：要是我这种庸俗啊，不是你那种庸俗——把国家、历史拿来庸俗。

男：就这么定了。只庸俗自己，朋友，最多带上点街坊。

女：那个人物你最好拿掉，拿不掉也让他默默的。

男：哪个人物?

女：演你的，第二集酒吧结尾那场戏出来的，后来一有酒吧就有他，打算骗我失身打算骗所有女的失身最后都没得逞的。

男：你说的是戏里那导演?他怎么是演我的?他没想骗你他没想骗任何人失身他是阳痿，所以话才那么骚，老喝不大。他有过一次送你回家吗?你都怎么看的剧本。

女：那我是理解错了对不起。我问摄影、副导演、别的演员，大家都说最色的是导演。演员自己也是这么跟我说，咱俩演戏的时候你就当我想办你。

男：太差了，现在的演员太差了。我都告诉他了，您，就是一阳痿。阳痿怎么说话你怎么说话，用丹田气。他就那么跟你去说了?

女：我理解错了我理解错了。

男：你伤我自尊了，你说他是演我的。

女：我错了，我确实不知道这里还有阳痿的事，我都把你们当健康人了。阳痿的事我太不熟了。但是你得承认他说话太像你了，声音也像，简直就是你。他就来演了一场，沉沉说她都惊呆了，听录音以为你在说话。大家都问这人哪儿找的，是你什么人，你一点没听说?

男：我就那个揍性吗?我就那个操行吗?我太失败了。我是把他当我最不喜欢的一类人，最腻味的一个人，最喜欢把人分类，他是谁高级谁低级的标准——谁派你了？只会从价值观谈问题，完全不是专业人士。价值观也很成问题。给自己扣上一顶公共知识厕所的名目发表什么歧视言论就都是社会良知了。我是笑骂他。要说我在戏里有意消遣谁就是消遣他了。

女：你也别笑骂了，你也别消遣了，咱们把他拿掉，你消遣人家干吗呀？

男：你愣没看出我是在笑他？

女：愣没看出。读剧本我就在他名字底下写了四个字：代表深刻。以后他的台词都跳过去。我以为你是为了中年观众安排的愤怒中年，老炮儿们还是有市场的，别太灰了，个人有点脏心眼。

男：你觉得咱们不要这么一人？

女：你要觉得需要，改一下也可以，我也不非坚持我的立场。

男：我现在也没立场了，靠！好像是在替自己争。这兄弟交给你了，你决定，你说拿掉咱就拿掉，你说留下咱就留下，留下也不能照原样留下，改中性一点吧。

女：那就留下吧，我还是挺喜欢那个演员的，现在自我感觉那么好的人也不多了，挺用功的，自己给自己好多设计。

男：你希望我把他什么拿掉？你上来就主张拿他显然他让你不舒服了，不要太骚了？

女：骚没问题，大家都很骚，但别人骚完完了，他骚完了是一个仇视别人的人，这点让我很不舒服。

男：哎——哎——被你说中了。我知道这孙子问题出在哪儿了。

女：有那么深仇大恨吗？他说别人的时候话里有太多恶意和

挖苦了。

男：但是我是一个对别人有恶意的人，我已经发现了。经常容易仇视一件事，我太经常了。仇视人，我还在极力控制，不许自己这样。

女：你不会认为没有恶意就没有力量吧得饿哥？

男：我可能真是这么觉得的。

女人点了根烟，剔着牙站起来溜达。

女：少一点代表正义的口气，你行吗？

男：没把握，不知道，我已经很注意了，我都不明白为什么我一笑别人就有恶意一有恶意就好像和正义很熟。有时分明很不正义。比如刚才笑你和小资，我紧急反省了，你说的对，确实只是一种势利，笑小资不是真有钱，好像有钱是一种真实，是一种可以被称出分量的东西，还是有一个炫耀，好像我跟钱熟，是钱的好朋友，替钱擦脸蛋，不许别人模仿，我太丑恶了。我太不光荣了。我必须告诉你，每次恶笑别人之后我都严重拧巴，觉得自己无比低下，恶意引起的快感时间都很短。

女：严拧。无低。你干脆给他加一女朋友得了，你确信不是这个原因？闲人很多嘛，没人就我。我一点没往心里去，我代表自己原谅你了。

男：你朋友不能再多了。我不原谅自己，我原谅自己就等于原谅一种操蛋。

女：你太拿自己当回事了。我觉得你操蛋也是很正常的。干脆，你把他写成同性恋，同恋人都很好，很和气。电视剧里同恋还没有过呢。能换盘音乐吗？

男人到电脑上换了个有点摇摆的舞曲，和女人对着扭了几下，回来蹲在茶几前捧着脸发呆。

女：你是在想同恋吗？

男：没有，我在往前想我自己呢，什么时候变这么恶？肯定不是生下来就这样，生下来我挺害怕的，挺不知道怎么回事的，见镜头就哭，我妈劝阿姨劝都劝不住。不认识的人躲，往屋里躲，床底下躲，你不知那时一女的把我吓成什么样，俩月一做梦就来。挺面的我。

女人摇得有点高兴。

女：有时越面的人心里越狠。

女人过来拉男人，男人蹲着不起来，女人就在他头上摇。

女：我可以向你推荐一人，四性恋，同恋，异恋，还有两恋你猜，你不是要比牛叉吗？

男：我现在已经完全不觉得对别人下得了手是一种牛叉了。自恋。还有一恋是什么？

女：兽恋。牛吗？

男：这我比较服。

女：你还是要把这个人写成本善？

男：不然我现在这样自己不喜欢自己自己反对自己不通啊。

男人蹲麻了，站起来，正好音乐慢了，就手扶女人当柱子。

女人鼻子贴着男人胸前擦来擦去，一只手举在外边攥着拳头。

男：一个人跟自己的时候应该是最不演的吧？你什么时候见过一个人待着待着跟自己急了？

女：还是有吧。

男：那都是一想起别人。从来没别人，从来不跟人发生关系，一生下来……

女：那谁把他生下来呀？

男人推开女人。

男：——就是自闭，就没活到今天，第一集就回家，你给我作一总结，我是本善还是本恶？

女：那你也用不着推我呀。你当然还行了，要不我也不来跟你谈，找我经纪人谈去。

女人自己到一边晃自己拳头。

男：你根本就没法评价我，当然我也就不去评价别人了，我都不认识他们。

女：还是社会。

男：还是社会。还是人与人。

女：还是把责任推到别人身上去了。

男人一头又扎沙发里去了。

女人拿脚踢男人脚。

女：哎，哎，是崩溃就是回忆以前的历次崩溃吗？

男人扎在沙发里使劲点头。

女人继续踢他。

女：我就一直和人发生关系，一直不自闭，一直活到今天，为什么我就不像你呢？

男人拔身立起来，一抬脚瘸了，扑通又坐下。

男：有一夜我和一帮朋友在一人家聊天前不久。很正常很友好的聊天当然周围还有几个女的了。忽然一个女的反应很强烈在那儿激动喘气看着我的眼神很异样。我说你怎么了，她说，原话：从来没听人这种语气说话。我说什么语气，她说嘲讽的语气，嘲讽所有人。我一点意识都没有，一点恶意都没有，我还以为她夸我呢。我问你是北京孩子吗？我原话：咱们过去不都这么说话吗，现在都教你们怎么说话？

女人游荡到窗前，看着窗外。

窗外是北京东区夜景，霓虹灯忽明忽消失，像鬼手刷标语；漫天星斗像五角星和五分钱都升上了天；街灯像一排排滴着橙汁的将军的肩章；汽车灯来如水晶珠链去如一连串被嘬红的烟头；临街大楼打着竹林般的绿光，黑暗中跑着一列列窗户；一棵棵树身上缠着泪珠般的串灯，遍地灯笼斑点；一个一个的十字路口就是一座接一座不断坍塌下来的光的积木。

女：我也很崩溃有一次，碰见一男的在嘉里中心非说我是东北人。

男：我爸是东北人——我妈也是东北人。我一直觉着我的人性来自遗传，我是基因决定论——我希望我的人性来自基因。时代的影响有，但都被我挡了。当然我认为时代给人的影响基本都是负面的。可是最近我越来越不自信，觉着越来越多不跟着我的人性，一些很陌生的情绪，咬牙，狂躁，就像我的一部分不再属于我。我也碰见一男的，说他也这样。

女：我现在脑子里都是金咖啡糖。你这有口香糖吗？我也觉得很多时候自己不属于自己。

男：和平，友善，低调，忍让，逃避。我本来是这样。

女人挺身举起一只手向窗外，演自由女神。

女：我本来人一看我就脸红，现在每次拍戏还是紧张，拍完一条你不看我我就想：妈的。

男：真是这样，你不懂医。我生的太不是时候了，生下来就很崩溃，外面一直吵吵着打我，我来了！我到那天都在打炮。我是受迫害妄想，妄想得也很真实。刚记事儿我就问自己：宽容，还是不宽容？——不宽容！我有巨大渴望症。我有视野饥饿症。我的品位是雄壮、粗壮、粗糙、极度饱和。我不能克制自己眺望辽阔、永远、众多、无穷无尽数不胜数的冲动。我要眼前是滚动的，一浪逐一浪，被浪潮般的色彩充满才能稍稍缓解一下瞳孔的饥饿感。那才是我眼中的美。我太爱开趴屉了，低于五十万人玩不好，百万人锐舞也都不叫大好。现在趴屉多？没那时候多。你是没见过那种盛况，人一对对出来，跟古罗马似的，没有打碟机，但是所有人都骇了。绝版了。我们这拨人再死了就没人能聊喽。现在回想幼年的我，不是在去趴屉的路上就是趴屉散了回来的路上。

女人在窗前挥着手摇来摇去好像自己是个花环。

女：我也不能看古代那种人多的电影，人一多不用大片音乐我就想哭。

男：我看《艾维塔》，东快佛密，群众场面一出来，眼泪就忍不住流下来，伤心了，也不知为什么那么伤心，好像见到了自己的上辈子。前几年我还能聊毕竟很勇，敢于对抗所有人，把梦做到底，是一种做人的极致。很骇。现在也完全不能聊了，观念转过来了，敢于灭别人不叫勇。我认为我已经清算了幼年的我对我的影响。总之不可以。

女：红眼睛，绿眼睛，黄眼睛，每个路口都有一对小眼睛在眨巴。

男：你小心玻璃。

女：我现在就是临街落地。我怎么觉得外面不像中国，这么晚了这么多人，真有那么好玩吗？

男：你查我紫薇斗数命盘，这不是吹的，本命就是文昌文曲。我太会聊天了，话说得都很黑，溅边上人一身血。今天出口伤人的学的都是我。我的话今天读也有力量，特别是侮辱一个人的人格的时候。我一直欣赏我的尖刻，把人聊成狗，把人聊成苍蝇，欣然让我觉得准确，准确又很容易被欣然以为正确，我就从欣赏我的尖刻到以为我都正确。

女：我看见我奶奶了，一个人走过去，演年轻的时候。

黑楼上一扇明亮的窗户，女人悲伤地站在里面。

男：我眼睛里一直跑着个小人儿，活物，蒙上眼睛更清楚，谁最近跟我作对就是谁，没事就和我眼睛里的小人儿比剑，放话的时候就对着他放。只要不熟我就递出那种眼神：冷淡，没话，谁也不尿，爹不尿，孙子更不尿。太像拒绝本人了。拒绝啦！拒绝啦！哪个电影这么喊来着？我强烈引自己为知己。

女：一个绿帽子扒上窗台了，谁呀？

男：你看见我心里了。我心里有根刺儿，戴着绿钢盔，我不说，刺儿替我说：我高明，世界不高明！我正确，你们一帮糊涂蛋！我优秀，来陪你们玩，咱们还真是有缘。不说不说，逼我说了，你们就该说对对对你说得太对了。不同意我的人就是低级生物，我希望他们去死！死太过分，就让他们致残。致残也办不到，就精神致残。就痛骂。给他起外号，说他不爱主义，调笑他——哈！哈！调笑是最伤人的，最不尊重人，最招小人，谁是小人你就拿这个试，一招就来，群起扒这厮的裤子，掐这厮粉嫩处，名流一掐一个手印，流氓也有暗伤，令天下小人群起而哄，过泼血节，自己一个脏字不带——噢！我明白为什么必须是代表正义的口气了，我心里不愿意让人听出我是小是小非，我心里必须把我想成一个战士，在执行任务否则心里太羞愧太咳嗽……

男人说呛了，剧烈咳嗽起来，眼泪汪汪。

男：我是东施，我学得不好。

女人离开窗户，也眼泪汪汪。

女：我怎么还能再看到自己心里？

两双泪眼相望。各自的手规矩地放在各自的双膝上。

男：我可笑吗？

女人拿手挡眼。

女：我现在不能看你，你现在就是演你的那个人——别去照镜子！

男人拿掉女人的手。

男：我还在演吗？

女人手挡眼。

女：你在演鄙视自己。

男人站起来，走两步一回身，十分眼熟。

男：我还演吗？

女：你在演我懂事我不要恨别人。

男人转身使劲搓了搓脸，再回身，很矜持。

男：现在呢？

女：你在演我确实没演。

男人乐了。

男：现在我在演谁？

女：现在是你亲自演的自己。

男人走回电脑前轱辘椅子坐下，调文件。

男：一会儿工夫演了五六个人。你别盯着我了，到我这儿来看本儿。我决定把这个人删了，不许他演了。还有哪个人是我，给我指出来，都给他们丫删了。

女人站他身后，戴上那个沙发上捡的男式墨镜。

男人一下变得十分灰暗。

女：那个，隐藏在我同事她爸身后的，对自己要求特别严，平时都很好，都要出院了，里根总统去世了，马上给美国 FBI 写信，说里根同志的去世确实跟我没关系。

男：那个病人呀？——你戴墨镜人都没了。

女：你不觉得是你？

男人弹琴似的敲了半天自己的牙。

男：就是我吧。

拉黑了一大片字，一摁取消，屏幕一跳空白，又都是字了。

男：还有谁？

女：那个，冒充我女朋友，最好人的，对谁都很微笑，很有耐心，性子很慢，包在街上被人抢了也不追，还慢条斯理的：他一定比我更需要。男朋友被我抢了，跟我另一个女朋友说：我都原谅，我谁也不恨。每天晚上不睡在家拉名单，都是准备临死一一道歉的。

男：这也是我？行吧。

半天，才删完。

男：她的戏可多，我提醒你。

女：还有那个，我第一个男朋友，觉得自己巨牛叉，巨容易被自己震撼——我靠，我都说爱你了你还要我怎么样？

男人喀啦喀啦转打火机，火苗端到嘴边，差点燎着嘴唇。

女：你没事吧？

男：没事，你说你的。

女：我第二个男朋友，那个坏人，每次干完坏事就要大醉一场，自个儿拿着酒瓶子——必须是窝特嘎！跪家里，满脸是泪问自己：我是特操蛋吗？

男人笑。手背青筋暴露。

女：第三个男朋友，被车撞了以后，觉得自己特神秘，巨有来历，只是没证据，只是不好意思才没说自己是耶稣基督。跟我结婚也是一种牺牲，必须要牺牲就牺牲女人。同时慰问一下早年落下的贾宝玉病根。才信的紫薇斗数，因为人家给他排了个命盘，他坐福德官，旺朋友，朋友的好儿都是他旺的。会过八卦，背的时候也能拿把筷子照着书给自己打一卦，十回五回打出卦辞是：天行健，君子自强不息。当场就能多吃两碗饭。一阵没事，又把八卦忘了。没工作以后到处跟人借佛教的书，坚决不去西藏，坚决寻找顿悟法门，坚决走呵佛骂祖的路，抗拒——啊啊啊……

女人摇头跺地两手蛇舞表演抗拒。

男人脚一蹬地，轱辘椅滑开转到一边。

男：谁跟你说我坚决跟人借佛教的书了？

女人的蛇舞变成了孔雀舞，定在墙上。

孔雀停止表演，墨镜回头看着灰暗的男人。

女：你没急吧？你要急了我就不说了。

男：不是咱们不带给人瞎编的，有影儿没影儿啊都安人脑袋上——我没急。

女：我可能瞎编吗？我识字吗？都是你剧本上写的，你不写我怎么知道？

男：哪儿哪儿呢你给我找出来，我就不可能这么写，你们懂吗我跟你们聊这些。

女人跑到桌前盯着电脑快速往下拉页。

男：音乐怎么停了？音乐怎么停了？音乐别停呀你动什么了？

女：我什么也没动。

男：起开起开。

女：你少跟我不耐烦！

男：不是你把音乐弄没了，音乐没了我一下觉得我在井里，音乐不能没有。

音乐又有了。

男：你接着找吧。

女人坐一边拧着脖子不理他。

男：你总得证明你没错，我错了，我诬赖了好人吧？

女：我什么都不想证明，我建议我现在回去洗洗睡了。

男：你不能走，这会儿你不能把我一人撂这儿。好好好，我错了，我不该跟你不耐烦，我向你赔礼，对不住，全是我的不对，我不是东西。——你是就不能给脸吗？

女：你再说一遍。

男：我去——

女：你要去哪儿？

男：去我妈那儿，我已经好几个礼拜没去她那儿了。我还有封信在她那儿呢。是我小时候一朋友写的，说他现在就住我楼下，好几回看见我像我，想喊没敢认，写信问我，我看见的是你吗？我现在发现北京没新人了，就这五年，凡出去见人，一介绍一聊，过去都见过，还有见过数面的，曾经是朋友。一网撒到天边，捞上来的还是熟张儿。你没这感觉吗？

女：聊啊，接着聊，我都被聊傻了。

灰暗的男人忽然脸上出现一小块醒目的白，是露出的牙齿，他在笑。

男：不是咱不能得理不让人吧？咱不能越占理儿越生气再让占理儿给气死了。明明和牌了还烦，还看半天，还老大不乐意：得，我和了吧。还气输钱的。

女人抖腿，演特烦的样子，起来过去弄了会儿电脑，让开位子。

女：自己看。

男人看了一眼就抽自己一嘴巴，一手抽自己，一手嗒嗒敲着删除。

男：我完全失忆了，我完全不记得写过这场戏了，这是我打算留给再下一部戏的底，可能是当时实在没的聊了。谢谢你指出了我……

男人打断了自己，不说话了，盯着电脑，电脑上仍旧一片黑字。

女人摘下墨镜，屋里的一切，颜色、线条仿佛被加深了，细节都出来了，天花板、墙、桌子、茶几，每一小块局部都更丰富了。灯光里也充满着质感，似乎铺下来的光线是匹料子。

男人却变得十分概括，五官抽象，皮肤沉郁，像柔光加狠了，像一个人模子。

女人惊醒地看着这变化。

手机在震动，没头苍蝇似的在桌上转。男人离开电脑站起来，坐到那只深陷的沙发里。

女：你说什么？你刚才说话了吗？

男：我肚子里说话你也听见了？我跟自己说呢，我不觉得这戏有再拍的必要了。

女：你现在是严拧。

男：我是觉得没意思，觉得这剧本怎么那么差呀，一个字都不能再要了。三五个无聊的人，在说无聊的话，完全可以不说。不明白当初我为什么要拍它。

女：你想挣钱。

男：是。但是我现在非常厌世。

男人忽然笑了，看着女人，白牙像一道白漆。

男：这戏只剩下你一人了。

女：我还没说我呢，我要说了，你更厌世了。我还是挺喜欢这个戏的名字的，要说不拍了就觉得名字可惜了。

女人坐在轱辘椅上，手里拿着一本残页的旧剧本，上面打着黑体剧名《梦想照进现实》。

女：《梦想照进现实》。这是你起的还是原编剧起的？

男：原编剧起的，他前面还有一个“当”，当梦想……被我把“当”拿掉了。

女：要说能起这样的名字，也不该太次呀。

女人两肘做跑步状，脚蹬轱辘椅，流窜到男人面前。

女：你现在就跟我来找你之前一样，承认吗？

男：你呢，好点了？

女：我有点要变成你，这戏是不是还是要拍呀，不然交代不过去，都演到这会儿了。真不拍了大家——至少你还得把钱吐出来。把原编剧找回来，让他改，改成什么样是什么样，我凑合演，你凑合导，别不演呀，演完喽都。他是哪儿的你有他电话吗？你给他打一电话。

男：不用找他，我都能替他把他的话说了：谁让你们动我剧本的？找他就是恢复他原剧本。他不知道我把他剧本改了，我没通知他，知道了一定暴跳。小丫也是自我感觉好得一塌糊涂，还教我落山鸡剧本都怎么写——真拿我当傻坯了！

女：可是，咱们不是现了吗？原剧本你那儿还有吗？ 我看看行吗？

手机又震动。男人看了眼显示。

男：这人太讨厌了，不接就是告你我不爱接，还拼命打，一天打八百个，这一定又是半夜醒了。我就不能让他觉得有志者事竟成。粉碎了——原剧本，拿手撕的，都冲马桶了。我当时被气疯了。

女：是不是回到原剧本你肯定不干？

男：我现在演有想法也演不下去了。公司那儿可能还有原剧本，明儿你给刘绝儿打电话。我可以给你讲故事，大故事我还记得。你还真有可能喜欢我现在这么一想。是你要的。一切挺好，父母挺好，对象挺好，身体挺好，工作挺好，手里的钱挺好，一切都在往挺好他哥太好发展。比东京不知道啊，比香港吉隆坡不次，业余爱好篆刻，有时候还为印泥着点急。平常自己有点嘬，有时候有点不说人话，基本上干的还都是人事。最大的事就是找不着人跟自己永久交配，拿不准，都聊，都不敢信。

女：这不就是现实吗？梦想呢？原来的梦想是什么？

男：永久交配呀，一次就是一万次——不是不是，这我有点踩咕人家了，不对啊我，以后不了。原来的梦想——现在的梦想是什么，咱们改了以后的？

女：我不知道啊，得问你呀，你清楚呀。世界和平不聊了，特别成功不聊了，永久交配不聊了——操你大爷这是你们粗俗化运动的词儿吧？你们都聊什么呀？

男：我想起来了，我现在不好意思说了。

女：你说，没什么不好意思的。

男：还真是不好意思了，我是不是已经脸红了？

女：红过去了，你笑呢。

男：我又被吓住了。

女人脱了鞋，一只光脚丫子蹬着男人膝盖。

女：必须说你。

男：那我可说了。

女：说。

男：人人平等。

女：你去哪？

男：你别管我，我到墙角抽会儿自己，马上回来。

男人到墙跟前朝墙低头垂手站着。

男人重新坐下。

女人瞅着他笑。

男人强作镇定，看远方。

女人笑得有点收不住。

男人实在不好意思，低下头玩自己的裤子，往下摘毛儿。

女：挺好的，算一个，是梦想。我同意你。你真没犯错误。挨位八弟——包括动物吗？

男：包括。第二轮的。第三轮带大自然玩。

男人抬起头腼腆地乐，然后表情骤变，差点哭出来。他用手抵住牙，稍微侧着脸。

女人看着他的眼角，看着那儿亮起来，饱满了，然后跌落下来，所过之处，皮肤爬出一条玻璃蚯蚓。

男人的脸几乎全侧过去了，只端着一个后脑勺。一条胳膊抡前面飞快横扫了一下。

男人齉着鼻子。

男：我还有呢，我也好意思说，但我就是不说。

女人看着他的后脑勺，也有点难受，不知道替他还是替自己，她什么话也没说。

很长的静场。中间男人去厕所洗脸擤鼻子出来，女人也进厕所洗脸擤鼻子出来，又都坐回原处。

中间男人专门跟女人小声解释了一句，指着自己脸上的潮红。

男：我哭自己呢。

女人没说话。

中间两个人的手机轮流响和震动。

然后房间里的电话极其粗暴地响了。男人伸手拿起听筒。

男：嗯，嗯，嗯，你们去吧，没变化。

啪，放下电话。

男人面对女人，很平静的样子。

男：原来的梦想也是相信有个幸福存在，有个人间天堂，一个公平的社会，人和人都互相信任，也值得信任，人和人都不互相消灭，一个无忧无虑，一个快乐无比，爱情根本不是事！没说平等，说的也是平等以后的社会。原来大家更相信一点，觉得地上的每一点亮儿都是那个梦想照下来的，都仰着脖子去接光，脖子晒热了，就觉得温暖；晒黑了，就觉得健康；烫皮儿了，梦更近了；起泡了，已经在梦里了，痛并快乐着，泡破了，露肉了，肉熟了，肉糊了，肉疼了，鼻子哭了，这都没走！走多不牛逼呀！走，多不爷们儿呀！必须死扛——必须的！聚光灯关了，爷们儿闪着了，爷们儿拧巴了，爷们儿生命不能承受之没东西扛。爷们儿玩火柴，爷们儿攒烟头，爷们儿屁暖床，爷们儿晒月亮，爷们儿管什么也瞧不见还站在那儿瞧，仰着脖子，瞪着白内障，叫信仰。

男人低下头。

女：你不信了？

男：我觉得太血腥，电视剧不让那么多暴力。我想把本儿改得至少不要自残了。多大的事啊，一个梦，自己聊出来的，有没有不疼的？改完还挺得意，现在好了，现在演不下去了。回去我肯定是不愿意回去。不拍了也不回去。黑的钱吐出来。我是真拍累着了，拍恐惧了。原来对这戏还有一点想法，现在也没想法了。后面的戏怎么演，这儿——心里已经就当跟我没关系了，放弃了。已然不好玩了。已然看到这是一部傻戏了。无论我怎么改，你怎么狂演，也是一部傻戏。下场摆在那儿了。辛辛苦苦播了，大家眼睛里晃一圈回仓库了，没有一样。有二十年吗现在这录像带？最后信号都消失了，一堆空带。就剩咱们俩知道有过这么个戏。还有组里别人，提，知道。

女：你还想靠这戏怎么着啊？得奖？得大奖？反应很大，轰动，举国震惊，观众都疯了，都感激你，都迎着你，都认识你，都喜欢你，见你就哭——你说吧，你还想要什么？想捞什么？最成功，特别成功，太成功了，你全得了，而后呢？一年美，两年美，美不够，总得有个完吧？带子还回仓库了，最后信号消失了，一堆空带，就剩咱们俩知道有过这部戏。组里别人也都没活过咱们。我先死，或者你先死，论岁数该你先死——我靠，就剩我一人记着了？我也不记，我记他干吗？我九十多岁，我这辈子干过的事多了，多少事你问我我也不能承认。存脑盘里的，也乱码了。就算脑盘没进水，还能正常开机，别的没打开，你这部戏打开了，印象太深了，拍太好了，我跟谁说去？比我小三十岁的人现在刚出生，肯定赶不上看咱们这戏了——那会儿已经退休了。我都不敢再往上想了。就算有一八十的，爱电视，哪儿都有他，都知道，天上打雷怎么没劈着他——跟我撞上了，聊得还挺好，要不是双方泪早哭干了，俩泪人。你告诉我，有你什么事？你已经在地底下了，我不信你还在乎我，在乎这场戏，还能让地皮湿了，长出青苔，长出蘑菇，表示你感动了。

男：我再见你，记住，不是青苔，也不是蘑菇，是一片橘子色。五百蜡烛点亮香蕉船，银杏树下躲柿子雨，深秋雨后收割麦田，迎着晚霞采摘向日葵，你想要一只铜哨子，结果得到满河金被子；你发现河里有一正在做的泥锅，旋儿得十分紧凑，十分头冲下，在拧自己，在严拧自己，一转儿紧一转儿，一转儿紧追一转儿，极力游成立锥，极力——差一点就从皱纹里刷出字母了，那就是我！那就是我！在拼汉语拼音“你好”，汉字我已经不熟了。接伴儿你发现夕阳西下，金被子变成一河血黑绸子，巨雀跃，巨轻浮，吹荡鼓舞间闪动着无数媚眼，那还是我！那还是我！趁着最后一点亮，瞅你呢。

女：你把我的心都说碎了。

男：那时的情感好比一口水塘在烈日暴晒下已经枯竭了。记忆急剧衰退，视野无限延伸，像傻瓜相机一样全是实的——你能想象整个世界作为一幅穿透一幅，不是切，不是叠化，是由点到面，由凝聚到扩散像涟漪那样，并再次凝聚，再次展开无比宽大无比巨型的画面全是实的吗？没有东西可碎，作为一个整体。你只会喜悦，水晶一样削不起皮儿，刮不出褶儿，吹不乱毛儿，抠不出丝儿，挖不出眼儿，踹不翻，推不倒，掐不下来，整栋的，瓷瓷实实的，有点凉，稳稳当当的喜悦——我把你雕刻在喜悦中。

女：听上去蛮好，听上去就跟你真知道似的。

男：说起来气人，我还真就知道。敢打赌吗？赢了你甭搭理我。

女：不必了，只要你来了，你又来了，我一定朝你高喊：没事，我们还聊你那戏呢。

男：我得讨厌成什么样啊？隔了五百年还没忘，还来聊呢。

听不懂了，中文。关心别的事去了。

女：你就肯定你一定来，我就一定想见你，你怎么那么自信呀？

男：来，肯定是要来的，烧成灰也要来，不然还能去哪儿呢？质量这么小，地球不爆炸，溅不出引力场，还得给引回来。苍蓝不是久居地，雷炸过去，雨打下来，遭到轰击，遭到聚合，遭到性交——又让人给生了。但有一条，全忘了，以为自己是新人。又管人叫妈了，又管人叫老师了，又上学去了，又上班去了，又给人娶家去了——这回我是一女的，哈，哈，你嘁什么？我就不能是女的了？不一定不招人待见我还告你。你想见我，我不一定想见你呢，你说清楚，到底怎么回事，我一女孩子，你是大款吗？

女：别给我们女的丢脸了。不会鸡都是男的变的吧？

男：也不一定啊，也许不是人，是物件。一小动物。一孑孓，朝生夕死。一石榴，八月十五咧着嘴儿，一身好牙。安兵前些天碰见一熟人，一鸵鸟。我在场。在我们赢了他们那马场。安兵那边分花拂柳走来，鸵鸟这边玩呢，俩人打了个照面，眼神一接，登时都懂了。据安兵本人说啊，就跟一鼓见着老槌儿了，左脚和右脚碰上了，整个世界的节奏一下慢了，安兵和鸵鸟都升格了，安兵笑着，鸟也笑着——你见过鸟笑吗？

女：以后呢？

男：以后安兵是安兵，鸵鸟是鸵鸟，我找你谈剧本来了。

女：还是的。

男：还是什么呀？

女：还是各回各家。

男：还是礼花，一笔怒放开来，在空中鞠了个躬又降下来。还得是光速，笔直三十万公里；再笔直，笔直乘二；乘乘乘——乘下去，那是回不了头了，拜拜吧。光和光怎么打招呼你知道吗？——最黑的地方见。

走廊突然很多人开门关门，趿拉趿拉走路，嗓音低沉讲话，小车驮着重物轱辘吱呀吱呀经过。

女：美术起来了？

男：美术早走了，天都亮了。照明的起了，听还听不出来，拖着灯呢。

女：你没通知他们不演了？

男：我没通知，我谁也没通知，谁通知谁被动。

外面。一灯爷把一灯举上车。

天像个皮蛋，开始有心儿了，开始有边儿了。

楼上窗户，女人往下看。左右上下层已经各有几扇窗户亮了，紧一头连接几扇的，在微明的晨曦下像被丢下的半截夜行列车。

女人看着窗外，城市一片惨白，一片切割，一片凌乱，一片水泥峡谷，水泥沟壑，玻璃柱子，不锈钢柱子，一群群水泥碉堡露出无数破绽、无数枪眼、无数麻点、无数雀斑一样的黑窗户。

女：小时候站在楼上看楼，看城里那些亮灯的窗子，心里把那些亮框当成未来的舞台，经常爱想：那个将来和我一起做戏被我看重的人就住在这些亮窗子里，等着和我结识呢。也不知他多大了，正在想什么，已经睡了还是像我一样正在空虚呢？有时会有浏览自己命运的快乐：我的命运将被这些窗子中的一个决定，我已经知道了。这个窗子里的人命运也一样被我决定他知道吗？要是他什么也不知道现在睡过去了，那他就是个笨蛋。

咔哒一声，城市定格了，又灰了一层。女人握着手机拍了一下城市。

男人在发手机短信。一只手在空中波浪起伏。

男：一生一生就这么过去了。你再好好想想我的建议。

咔哒一声，男人定格了。

女：已经被我否决了。你甭害我了。我说的是小时候，没真开始表演的时候，现在演过那么多戏，跟那么多腕儿合作过，再看那些窗户就是窗户了，偶尔还看看只是想小时候有过的小小快乐。

男：是个人就能干导演这还是秘密吗？你现在就在你的未来里。有一次我刚进一包房，刚端起杯子，刚抿了一口，旁边一哥们儿正跟果儿聊呢，我当场就喷了。

咔哒，男人刚起身就定住了。

男人走到窗前，伸懒腰，看窗外。

男：未——来——真——难——看。

女：小时候我是一个很容易快乐的人，一点小事就能快乐起来，心情好天气就很好，被人骂了也不往心里去，现在还看得出来吗？你不干了你去干吗呀？

男：狂睡，怒睡，把没睡成的都睡了，睡到自然醒。在苍穹中醒来——我喜欢这说法。

咔哒，男人刚转过来又定住了。

女：然后呢？然后醒着，醒在那儿，醒得跟鬼似的？

咔哒，举着手机的女人也定住了。

男人举着手机瞄着女人。

男：然后还去找戏拍。我上部戏不是还搁在那儿呢，我自己演的，演一社会单干局秘书，演得也不是特得要领，拍一半大家闹翻了，都不演了。演我爸的演员先走了。我们关系一直不好，他演打我那几场戏我真跟他急了，你还真打，会不会呀？这是戏你懂吗？我不恨他我只是对他冷淡，尽量压他的戏，删我们俩之间的台词，演对手戏不借他视线，但是让他以为我恨他了。后来他不演了，一声没说走了，再没见过他。他留了一箱子在我这儿，我还说什么时候还他呢。

两个人举着手机互相瞄着。

女：听说你们那组演员都闹得挺僵的。

女人定住了。

男：演我哥那演员也是半截离开剧组的，我想留他也不知该怎么留，说什么，就什么也没说，戏里是兄弟，散了戏就是生人了，人家有人家的事。我们组演员最多的时候，也住了一楼人，我哥一家，我一家，我爸妈一家，演小保姆的，演亲戚的，后来走得只剩我和我妈、演小保姆的三个人，坚持每礼拜演吃饭的戏。最后我和我妈——也是一老演员，说，这戏我也不想演了，可能不拍了。老演员当场哭了，问我：那我怎么办？——那叫高兴吧，一点小事就能高兴。演我女儿那小演员就能一天到晚很高兴，别的演员一看也很高兴。我跟她说，没事，你乱演，演得再不好我也不动你一个手指头。

男人也定住了。

女：高兴和快乐不是一回事在你们组？

咔哒，台灯定住了。

男：在你们组是一回事也行，在我们组我没把它们放一块。

咔哒，沙发定住了。

女：现在就你们组我们组了？同意你撤了吗？没准我还说不用改了就这么演下去了呢。

咔哒，茶几定住了。

男：有的是导演，你不干有人干。导演不用愁，高兴有点发愁，高兴是发愁的男朋友，发愁一下班就叫他出来，老和他们一起玩的还有一叫爽的，喝得很高兴，聊得很高兴，逮得很爽，兴致高嘛，简称兴奋。快乐？痛快、松快、刀磨得很快！乐、乐趣、乐在其中？好像不应该是一时兴奋，是长期兴奋，长期没急着，比预想的还要好。我见过快乐的人，都是女的，一般感觉不张扬，都宾着，你不打听她很正经，摁不住，往外冒，闻着香了，扫听扫听为什么美成这样啊？才把心里美——快乐暴出来。暴完之后还有点歉意，觉着挺对不住周围这帮没赶上倒霉催的，那个善意往外冒。高兴有时必须建立在别人痛苦上。所以男的净高兴了。没见过真乐的至少我认识人里。我都想不起一个男的跟我说他很快乐用过这个词没那么不要脸的。快乐也没号称的，但你能看出来，真是快乐，嫁对了老公的，生对了孩子的。对对，孩子那个状态叫快乐，孩子是快乐的。快乐是美。妇女儿童要特别保护，保护美嘛。精神病弱智也要特别保护，保护不清楚。

咔哒，墙定住了。

女：快乐传染吗？

男：快乐传染，但是传染时间不长，病人一走你马上就好。传染来的也不是快乐，是快乐她妹欣慰，净替人家高兴了。

咔哒，门定住了。

女：不快乐传染吗？

男人的脸颗粒很粗，很晃动，很大。

男：抑郁是传染的这个我知道。早年我们那酒吧五个股东一个抑郁了五个都传染了。当然后来证明都不是了。后来传染到旁边酒吧，传染到整个一条街，客人进来都不知道为什么就不高兴，看着酒喝不下去，就想掉眼泪。生意全淡了。后来靠老外才把那条街捡回来。老外太生了，老外哪儿都不挨着哪儿，所以没事。

女：我觉得我被你传染了，你是一个不快乐的人，我认识你之后就失去了快乐的能力，慢慢的一点一点的我这么觉得啊。

男人的脸闪掉一张，又出现一张，又开始晃动，很大。

男：我是一个不快乐的人，我也不想快乐，我也没必要快乐，我也没快乐过，我也不知道那是什么意思。快乐是一种能力你再加一句：天赋。得积多大德啊！我不信快乐是可以争取的，是一花瓶摆在那儿，人人可以捡起来抱怀里，是一勋章，人人都可以别胸前。我觉得快乐就是自我陶醉的能力，可以无视现实的，可以省略现实的，可以虚拟现实，都挺牛掰的。主观指导客观，主观指挥客观——都是主观大师。我不能自我陶醉，我没理由自我陶醉，我也不认为自我陶醉是正当的——对我。我没那么清白。快乐她妈是清白她爸叫善良，他们俩生的。我不是他们俩生的。我是自私和虚荣生的。我还有一叔叫自尊，这叔是残疾人。一舅叫虚伪，这是一全乎人。一姨叫虚弱。一姑叫自己虐待自己。她有一双把儿姐姐叫自己高看自己，早死了为什么我没提呢。老自家的人是很多的，大家族，名门望族，在我们老家自恋那儿是横行一方，都姓自，县长都姓自，叫自卫。很多人生了孩子叫自私，叫自卑的重名更多。有一远房叔叔没见过，名字起特怪，叫自由。瞎起吧？净让人闹笑话了。净让人起外号了。人缘不是特好。小时候到我们家来过一次，把我爸我妈吓的，就怕叫我见着，愣没留人吃饭，等于是半撵出去的。好像这叔被逮起来过还是怎么着，都挺怕他的。作风不是特好。

女人的脸也开始晃动，颗粒很粗，很大。

女：你有一姑叫自己恨自己，有吧？我都见过。

男：你说我哪姑呢？我还有一姑叫自己埋怨自己，一姑叫自己很不相信自己。

骤然黑场。

啪，一只手机扔在黑皮包上。

女：就叫自己恨自己。一老太太，穿得干干净净，头也梳得整齐，说话蚊子声。

女人的脸依然很大，很晃动。

男：她呀？我知道你说谁了，我小姑。她嫁给恨了，后来恨死了，为了纪念恨，她就在自己和自己中间加了个恨。我一般叫她姑且恨。有时不提恨，就叫姑且。

女：知道，我有一女朋友，先嫁给现在，后嫁给开始，娘家姓从，现在就叫从现在开始。

咔哒，女人大脸定住。

骤然黑场。

噗，另一只手机扔沙发角里。

男：这是跟我比较亲的一姑。不讨厌——人老了不讨厌挺难的。有教养。我认为有教养就是不大惊小怪。什么事都能跟她聊，没说能把她吓着的，哎哎这个事你怎么能这么做呢——没有。我都能跟她聊性——姑且。绝对是那种倾听和尽量理解的态度。没有你这是不道德的什么的这种话。也不是说要老太太都赞成你的生活，我最怕那种上来就很多事对不对，能干不能干先有一大堆界限，全是她没干过的，没听说过的，无知的可以说，先把自己关起来，听都不要听，先觉得你想法已经出圈了就差进行犯罪了，应立即禁止，并严厉批评——我最怕那种老太太了我几百个姑都那样，跟她们聊天跟跟文盲聊天一样，你又不能抽她。怎么了，你对我小姑印象好？你什么时候见过她？噢，她住的离这儿近，上组里来过，可能你见过。老太太爱看片子，从我这拿不少碟。

女：你可能都忘了，有次我到你这屋来你姑正也不知干吗呢，你没在，我跟她客气了两句，聊了两句，老太太抽烟，我就敬了她一根，老太太是挺让人舒服的。你一会儿才回来。老太太走了你跟我说什么你都忘了吧？

男：我说什么了？

女：你说别跟这老太太瞎搭勾，老太太这儿——脑子有点不好，看着没事，突然犯病了就不行了，你不知道哪句话能招着她，老太太看着和气其实比谁都敏感。你跟我说以后见了甭打招呼，只当不认识，姑且不用礼貌。万一跟老太太熟了，老太太挺爱串门的，到时候上你们家去万一在你们家犯病了呢？你都不知道怎么抢救。她真干得出来，闲的嘛。要说老太太有什么毛病也就这点不好，拿自己不当外人。我说她几次了，我的朋友见过第二天就上人家去了，你跟人家熟吗我问她。结果真在人家犯病了。

男：是吗我跟你说过这些？还真像我说过的。其实也没那么严重了。

女：你跟我说说自己恨自己犯病都怎么不好了？

男：怎吗聊起她来了？咱们能聊点别的吗？一会儿上班以后你先给公司打一电话要剧本，你先看。我跟他们说这两天先停。

你要觉原剧本行，比较简单，换导演呗。问题不是很大就找原编剧回来帮你改，问题很大就爱怎么办怎么办吧我也管不住了。

女：你别不干呀，别我没真没干你倒真不干了。

男：你不能明明这是一泡屎你还叫我一口一口舔了它，还咱俩一起舔。你觉李小玲导这戏怎么样？你们不是合作过？

女：她会愿意吗你干了一半的东西？我跟她关系还可以你跟她熟吗？她好像不是特爱接人家拉了半截的东西。

男：苏小羊呢？

女：苏小羊当然可以了，苏小羊当然很好了，问题是人家来吗，瞧得上咱这电视剧吗？

男：先给她打一电话问问呗，来得了来不了再说，起码是一人选你觉着呢？

女：你先别急着找导演，你先跟我说说恨自己怎么不好了？

男：恨自己就和自己家里人疏远了，就爱到爱她们家串门去，跟人也不熟，臊眉搭眼跟那儿坐着，人家吃饭也不走，也没话。你跟爱熟吗？

女：不熟。我有一朋友跟她熟，老上她们家去，姓献，叫献爱心。

男：不熟我就放心了，不熟就好办了。照说我现在是不该再说谁的坏话，照我现在达到的觉悟和对自己的要求，但是爱，我必须说她两句。我能说她两句吗？

女：你说，我绝不传去。你所有话烂我耳朵里，外边看你还是好的。

男：怎——么了，她就觉得她好看？不但她觉得好看还所有人都觉得好看，谁我都听背后有人说，就她，一提都立正，都觉得自己家孩子像她，自己太太像她，自己妈简直就是她，打听谁跟她熟，什么时候请家来坐坐家里就太平了。就那么踐！恨自己是经常不能一人待着，恨自己是老上你们家待着去，她一人孤单，你们家不是朝阳吗？你们家不是招人待见吗？怎么恨自己一来爱显摆爱吹牛就往外躲，爱聊天也不聊了。是，恨大家跟你们家是世仇，弄死你们家不少人，至今你们两家还是死掐。可是恨自己不姓恨啊，姓自，搞清楚情况没有？噢，就许你们家人结婚呀？优越感哪儿来的我就不明白！爱屋及乌不是你们家人呀？爱啰嗦爱抽筋不是你们家人呀？你有没有个大爷叫爱当官？爱攒钱是你们家谁呀？我不知道——蒙别人行。论起来我和她们家还是亲戚呢，她一个表妹爱嫉妒嫁给我三叔自豪了。我表妹，叫自爱。自爱还很好，爱杀人爱放火都叫人给抓了！就跟你熟的那个……

女：谁跟我又熟了我怎么不知道？

男：她女儿，爱情，你不熟——你敢说你跟她不熟？

女：熟，熟，她女儿很熟，猛一下忘了谁家的了，我们一起也不刨根问底，都是年轻人。

男：年轻就不好好跟家待着了？我要说她最骚你不会反对吧？谁跟她都有一腿也不是真有还是传说，连老外都瞎传我没瞎说吧？我就算够开明的了吧？我就算跟道德最不熟的了吧？这要是我，我觉得我忙不过来。

女：我怎么觉得你跟她也很熟呀？有一次跟她聊起你，她说她认识你。

男：她吹吧！她谁不认识？她交际多广啊，她多有面儿啊，没她进不去的局，几回我在我大爷自尽家门口碰见她，陪人进去了，自个儿出来了。自尽都起不来床了，自尽让人打了，自尽都瘫痪了……

女：别聊自尽别聊自尽。她走访你了？

男：我不说了，再说就像我吹牛了。她憋着收我多少回了，我全闪了。我认识一女的不错，她就说是不错的朋友，来聊会儿，有你什么事啊？有一回把我和被窝堵一块儿了，被我利用最后一丝理智喝住：别来这套！我和你姐可是朋友！

女：这跟恨自己有什么关系呀我听了半天没听明白。你跟我说说恨自己。——她姐是谁呀？

男：你轴在这里了是吧？你出不来了是吧？恨自己已经开始走访你了是吧？——她姐在家叫爱慕，出门叫单相思，是我一老情儿，老情儿嫁给性饥渴了，我也不好跟她多联系了。

女：最近给我打好几个电话了。算了我也甭瞒你了，刚才她就在，我喝大了也不知怎么压着手机了，恨自己老接着空白信息，自不是笔画少嘛，在我电话簿上排第一。恨自己不知道怎么回事挺担心就来了，看我喝成那样就一直陪着我，照看我，到我下楼找你。恨自己当过护士吧？恨自己照顾人真专业，我吐一身都是恨自己收拾的，我特惭愧。我跟人家熟吗人那么大岁数大晚上我自己都不知道，人还就来了，我特感动。老太太还说下回跟我一起喝酒呢，教我怎么喝，说我那是恨不醉的喝法，自己喝自己不用那么拼。老太太特别亲切让人觉得特舒服——特别特别舒服你形容的对。那双眼睛，看你那发自内心的爱护和关怀——我觉得用关怀形容她眼睛里那种东西太准确了，我一看她的眼睛，心里就想哦，这就是关怀。跟妈的还不一样。我太喜欢老太太了。我要老了我就要当那么一个老太太。所以我问你她的事呢，我觉得她不像有病的。

男：恨自己和你约酒了？恨自己让你看到关怀了？不过告你也没关系，这是我们一家庭秘密，既然你已经跟恨自己走这么近了我不告你姑且也会告你。老太太是教徒，过去。现在也是。中间不是过，中间不是不让嘛。关键老太太不是没病，她传教，这点比较讨厌。我说您不能干这个至少跟我的朋友。这叫什么事啊？人家是看我跟你聊会儿，第二天您上人家传教去了，人不好意思只好听把媳妇拉来一起听你倒问人家爱听不爱听了吗？这不等于病在人家了吗？你再跟恨自己熟点吧，再熟就开始了，以后全是这个了，没别的了。她就不跟我传教，被我灭过。老太太那么一个冰雪聪明——你大爷这词我早知道就因为没人配使一直没使过刚想起用老太太身上，合适。老太太冰雪聪明那么个人怎么一聊起这点事，就魔怔了，没完全停转儿也是黏迟，智力急剧下降到小学五年级水平，完全迷信了，科学理性不在了，反常识的事很幼稚地在那儿坚持。你要反常识你就得和常识他们家对门怀疑一切熟，怀疑一切反常识很多年了，确实有的时候就把常识反了。你不能说什么常识我不认识，我就认识我们家那口子。你们家那口子谁呀？我们家那口子，给个棒槌就认真他们单位领导。我跟老太太说，本来我对什么还都有点兴趣，就因为你，不聊了。你给你们那儿毁了一人。

女：老太太生气了吗？

男：老太太生什么气呀，老太太从来不生气，老太太就在那儿乐。还说她那些幼稚的宣传。我说你不能这些话跟我说。你不能让我觉得我是一傻子我要信了你我算叫你蒙了。要宣传跟你们那儿管宣传的说说，咱们都先别假定谁是傻子，别一脚踢开——踩着常识，很难吗？别一绕不过去就突然都岁数小了。千万别再把黏迟派出来，千万别再让黏迟们到处说人进去有许多好处，日子都顺了净拣乐儿了。别忒把人看扁了，我要拣乐儿我上你们那儿干吗？我哪儿都能拣！我的弱点不就是不能让人看出我不聪明我日子想顺就顺这你还不知道？我听了都可笑！齿冷！太丢人了！太证明了！是人就有一命门，这闸盒要是让人赶上拉了一把，这人就瞎了，脑袋就方了，心里的头发全白了。这人就没电了。平的事很平常，就不能提这个一提这个就成话痨了。

女：你的闸盒在哪儿？

男：不能告你回头你再给我拉了。老太太呀老太太，你不应该，这事发生停药整顿身上还差不多，停药整顿都没发生你发生了。多好一人最后这点事让人不佩服，再连带拖累教门，觉得你们是一农村祠堂，派出一些低级算命人员就到泥沙俱下的大城市来蒙事来了？碰到我这种昂——就等着不会的跟我瞎说呢——还不是一通暴呲啐？从上到下没有面子。好吗你觉得？恨自己承认，这事儿上她不是完全跟着理性走的。她说你会发现理性所有的路都有尽头，这只能你自己走到尽头，就见了。无立锥之地到时候。不要大哭而返哦到时候。您这是屈从。我跟恨自己码了。你们管这叫敬畏吧？我听很多事儿逼说过，人，要懂得敬畏。我去——你一百多个大爷！管心里哆嗦叫敬畏？你们丫真会拣好听的说。会聊天吗？不会聊天别聊。到时候恨自己朝你下家伙你不许信啊，你要信我瞧不起你。

女：恨自己没朝我下家伙。

男：你等着呀，还没到时候。到时候你不要说是我把恨自己招你们家去的。到时候你跟她聊吧。到时候她反正有的是工夫。到时候她会一五一十把你所有的过去所有的将来聊到尽头。到时候她会领着你葬花，哭自己。葬完眼泪领着你焚诗，拿着板擦把所有甜梦、恨想、怨望一笔笔抹去。抹干净了是咽气版：踮脚望着没有尽头，望着小白，小蓝，小黄，小黑，你好，你好……就不看小红。

男人演得出了神。

女：你还一表妹叫虚心吧？

男人出了戏，擦擦汗。

男：虚心上学呢。我们家事你怎么全知道？

女：虚心已经工作了，虚心跟我一朋友是朋友，虚心都交男朋友了，有一天碰见聊上瘾了，也二十的姑娘了。

男：虚心工作了？虚心交男朋友了？我还叫她小心呢。很多年没见了，就怕她妈虚弱好学说出话来还以为是一犯人呢。我必须承认有人身体不好你判他念书他真能把牢底坐穿你承认吗？恨自己没咽气虚心都长大了。怎么又聊起虚心来了？跟我们家人干上了？二十岁也是个果儿了。

女：虚心问我一人，也是你们家亲戚，问我认识不认识，我说不认识，估计你认识。

男：谁呀？我们家还有什么亲戚？虚心也开始打听人了？她一个二十的人，相当于狮子一岁你算算，必是瞎打听。跟她说话多累呀，跟她逗实话比逗瞎话还累。虚弱专拍二十人的马屁。虚弱有一特奇怪的想法，拍年轻人的马屁就是拍明天的马屁，拍身体好的马屁这不是前门楼子吗？遭到我二十年时的痛斥。我说我不爱跟你们四十人在一块儿，跟你们在一块儿我就是虚心她们班班长——紧张。

女：虚心不紧张，虚心很放松，虚心问我你是搞文艺的？大家刚见面刚介绍我跟他那男朋友好像还在哪儿见过一时想不起来。我说昂昂昂，那是社会上都那么说，其实也不是，也是生产，你不能说光妇产医院叫生产，生产一画一堆画……

男：咱不是生产画的咱别给自己吹牛逼，咱们是生产照片的。照相馆一次洗三十张咱们一次洗多少张？

女：马上可以算。

男：电视剧别算了，电视剧太多了。算电影。一秒二十四格，二十四张照片，一电影就算它一百分钟，一百分钟乘六十秒再乘二十四这得多少？这脑子算不过来。一百乘六十就六万张了吧——六万还是六千？这脑子完全坏了。六千二十四，四六二十四，二六一十二，完全进水，反正很多，好几万张十几万张，这是照见的没算照瞎的。

女：虚心说你搞文艺你一定认识我们家一亲戚了，也是搞文艺的自己。我还以为她说你呢。说认识认识，自己吗，自己熟，老跟自己一起吃饭，过俩月还可能和自己合作。

男：下回见虚心，别老叫在外头提我，熟吗跟我？

女：她说我知道你说南边去了，不是我妈家那边的，是我爸那边的。

男：谁呀她爸？我还真不知道她爸是谁。

女：她爸？艺术家呀。

男：昂？她爸艺术家？我怎么不知道她爸是艺术家？没人跟我说过呀？她爸老跟家待着呀，艺术呢？

女：干吗非得跟你说啊？人那不正跟我打听呢吗？她爸前边有个儿子算虚心前边的哥哥，不是虚弱生的，是艺术家前妻生的，前妻叫技术，生下来技术就一点没有了，就送人了。现在艺术家老了，想艺术了，就托人打听，都打听艺伎那儿去了，艺伎说没见着。又问算术，算术说你怎么找我这来了，你没事吧？一听我是搞文艺的，以为我跟文艺是两口子呢，问你认识吗？跟文艺熟，没少帮文艺，好多人以为他们俩互相爱上了。你能帮我找找吗？他挺不好找的，平日不见人，说他多年失散的家找他，我是他多年失散的虚心。你有他电话吗？

男：艺术的电话？没有。没听说有这么一人呀？艺术家老了，虚心出来了，虚心还认真了。

女：有，有，我都听说过。你是不爱提他，有这么个人，老能见着，哪儿亮去哪儿，剃一秃子，眼睛有点小，手有点长，腿不是有点快，是太快。挺能聊的。有时跟东家聊有时跟南厅聊有时主持大家。

男：嗨，你说他呀，他不是，八竿子——十六竿子他也没在里头。他谁亲戚也不是。他是意大利和索马里生的，意索，天津人叫叫给叫串了。他不是虚心前哥——虚心怎么不姓钱啊？不信你给意索打电话你这就给他打电话，问他，你是艺术吗？他一定告你：不是。

女：那谁是啊？

男：你容我想想，你容我想想。

男人昂首想了半天，中间一度屈膝、抱头、思想家了。

男：确实不认识。

女：你确信？

男：确信。不确信你查字典。电脑马上就能查。古够。

电脑的黑屏刷一下大亮，小沙漏出现在中央。

男：有点慢啊，别着急，这一带不宽，我撒泡尿去。

女：出来了出来了，艺术：才能和技艺。

男人提着裤子探头。

男：我说什么来着？俩媳妇一个不认识。

女：尿了吗？

男：没尿。我不就臭点吗？你不能说我不是啊。

女：赶紧尿去。这是小学生字典，找中学的。

男画外喊：中学怎么说？

女喊：艺术，是艺术家通过创作对现实的反映。

男人系着扣子从厕所出来。

男：前门楼子吧？豆腐，是做豆腐的通过磨把黄豆反映成白嫩。见过会聊天的。

女：起源于种植，最早是一种活儿，主要是用手，手艺，工艺，拳艺，执行，望着天执行，脚下有时腾云驾雾。

男：这是谁在聊呢？

女：不知道谁在聊呢，搜索出来的。术，起源于剪树，最早也是一种活儿，主要是指一种雕虫小技，也是用手，手术，技术，开膛术，后来发展为心术、魔术，还是一种雕虫小技。和艺结合后，就是两种雕虫小技合在一起，不分好赖，没高低，拍脑袋就算。有高低见“艺术家”。

男：艺术家艺术家，找艺术家。

女：等着，我先看娱乐。娱，起源于西施，后来泛指南方美丽女子，见之心说高兴。乐，北方旱天登高踩跷人士，无人见之嘴亦咧到天上。

男：艺术家艺术家。

女：艺术家来了！起源于最早丧失劳动能力的人，可能是病人，可能是被剑齿虎和狼打了的猎人，苦苦坐在山洞里笼火，女直立人捡来的植物种类丰富，经过焚烧——以下详见“燔祭”词条。熏了病人，在病人混沌的大脑中放映了有人以来第一批电影画面，使病人在没有镜子的处境里有可能自我审视，并重新观看周围。我们没有证据他那时会说话。我们有证据火堆旁有红色和黑色颜料。我们没证据他在洞壁上勾勒有人以来第一幅岩画是预谋好处。我们有证据他后来确实捞到了好处。他活下来了。他那次在冰天雪地跑了一天，被猛犸追得上气不接下气，抱了骨头回来的兄弟喂了他髓，去掰树枝冻得像鬼一样回来的姐妹烤了他腿，那些野蛮人以为他反映了他们，他受到欣赏。我们有证据他后来身体好了也没再出去，就在火边偎着，他有权利依偎，大家也给他这个空场，希望他多捏些泥盆泥碗，不留神烧成陶碗也没人有意见。我们有证据他后来老在尾，跟头儿走得比较近，也跟越来越漂亮的妇女们有了更多的交配机会。他已经习惯随便搞搞别人就该给他饭吃。也不必都是熏得半死，病得脑子里那个电影。看见什么是什么。他逮了一虫，揪了腿儿劈了翅儿一口唾沫粘树板上，愣告那是琥珀。大家说哦哦是吧。另一位不干了，干了，你再说一遍，这是什么？雕，雕虫小技。码了就认了，认了就学乖了。乖的后代一直流传到今天，才能和南方女子结婚，继续和北方艺人聚奸。南女忘掉了，只留下才能。北聚奸散只剩下记忆。合为一股才能和技艺。

男人环顾着女人惊叹。

男：噢，噢，原来如此。

女：家，房盖儿下一口猪。吃的好，住的好，过好日子。才能很顺，技艺出了国，按国外习惯颠倒了，艺伎身体一直很好，请好日子放心，常回来看看。

天大门，屋里也大白，灯都剩灯丝了。走廊里刚才就充满了人声。

二处在喊：走了，走了，都上车了。

很多脚步经过门口。哐哐哐，门上一通狂擂。

二处远去：出发了。

男：谁回谁那儿，看谁？

女人摊开两手，耸耸肩。

门上又是一通暴捶，无声了。

男人大拇指朝下示意女人别出声，轻脚轻手关了顶灯，拉上一多半窗帘。

门上又是一下暴捶。

男人坐下，拿自己的手机看未接来电和信息。女人陷在沙发里也在看手机。女人的脸又开始大，开始晃动。

门上又是一下中捶，两下中捶。

两个人低头各自发短信。两个人的脸都开始大，开始晃动。墙也开始晃动，门也开始晃动，地也开始晃动。

门上的捶击继续下去，连贯起来，渐渐有点成心，一拳比一拳嬉闹，带着拍子——真的有一只拳头在捶门。

男人模糊地抬头看女人。女人自己在笑。

这个笑容有点横道儿，有点偏色，有点哆嗦，卡着脑门和下巴，画面有点长方，上下贴了黑条，黑条外圈有银灰的边儿。

画面有点反光，有人形站在里面往这边看。

拳击越来越有节奏，变成鼓，一直隐在下面的号子提起来，变得强劲，变成一股动力，一种行进，大脚丫起大脚丫落，一种蹬踏，一种积郁，一举弹跳，一捆散架，忽然几根弦子，一哑压一哑压进音道的沙嗓，周边几下极小捣鼓，一口呻吟越吟越长，其他信号也都跟着原地踏步，原地长胖，原地搓手——真的出现两张飞转的碟，两只修长的手搭在碟上，指尖各搓各的。

节奏在说东北话：放开咋的，放开咋的。普通话：把打滴加大，把打滴加大。

忽然很多光拥进来，两个人都毛了。

一个扩音器的声音：你们还能聊吗？

忽然画面收了，两个人带着背景倏地缩进一个小亮点——黑了。

黑中亮起三排小蓝数字。

女人的手指尖在飞快地摁手机键盘。

银幕亮——手机屏幕：听说你最近很神秘。

画面收。

手机亮：晚饭什么情况。

手机亮：告诉你一八卦昨夜二兽和一男出现在鹿港小。

画面黑。

出演职员表。

手机继续一屏屏显示，在不断往上拉的职员表旁边。

手机：这还用考虑吗。

手机：看见的人就是我你的资讯都慢一拍。

手机：挑一个词天空森林草地湖听说很准哟。

手机：天空我快没电了。

手机：天空容易爱一个人也容易忘一个人我是森林一辈子只爱一个人。笑脸。

手机：二兽不接电话花盆花架挑一个。

手机：二兽不接电话你自己过来花架。

手机：你喜欢一夜情。

手机：来不来给句痛快话。

手机：裤子鞋子帽子挑一件。

手机：什么都不穿行吗。

手机：就剩不好意思了。有人了。笑脸。

手机白屏。

手机：白什么意思。

手机：白白。路太长水太深你慢慢蹚吧。

手机扩为全屏：再见。

继续出职员表，承制单位，协助单位，赞助单位，场地提供，服装提供，洗印提供，胶片提供，摄影机提供，出品方，至——

（完）

王朔主要作品年表

【1978年】

《等待》(短篇小说)发表于《解放军文艺》第11期。

【1982年】

《海鸥的故事》(短篇小说)发表于《解放军文艺》第8期。

【1984年】

《空中小姐》(中篇小说)发表于《当代》第2期;

《长长的鱼线》(短篇小说)发表于《胶东文学》第8期。

【1985年】

《浮出海面》(中篇小说)发表于《当代》第6期。

【1986年】

《一半是火焰　一半是海水》(中篇小说)发表于《啄木鸟》第2期;

《橡皮人》(中篇小说)连载于《青年文学》第11、12期。

【1987年】

《枉然不供》(中篇小说)发表于《啄木鸟》第1期;

《人莫予毒》(中篇小说)发表于《啄木鸟》第4期;

《顽主》(中篇小说)发表于《收获》第6期。

【1988年】

《痴人》(中篇小说)发表于《芒种》第4期;

《人命危浅》(中篇小说)发表于《蓝盾》;

《毒手》(短篇小说)发表于《警坛风云》;

《我是狼》(短篇小说)发表于《热点文学》;

《各执一词》(短篇小说)发表于《文学故事报》;

中篇小说集《空中小姐》由中国青年出版社出版。

【1989年】

《一点正经没有》（中篇小说）发表于《中国作家》第4期；

《千万别把我当人》（长篇小说）连载于《钟山》第4、5、6期；

《永失我爱》（中篇小说）发表于《当代》第6期；

长篇小说《玩的就是心跳》由作家出版社出版。

【1990年】

《给我顶住》发表于《花城》第6期；

《王朔谐趣小说选》由作家出版社出版。

【1991年】

《我是你爸爸》（长篇小说）发表于《收获》第2期；

《修改后发表》（中篇小说）发表于《小说家》第4期；

《无人喝彩》（中篇小说）发表于《当代》第4期；

《谁比谁傻多少》（中篇小说）发表于《花城》第5期；

《动物凶猛》（中篇小说）发表于《收获》第5期。

【1992年】

《你不是一个俗人》（中篇小说）发表于《收获》第2期；

《懵然无知》（中篇小说）发表于《都市文学》；

《许爷》（中篇小说）发表于《上海文学》第4期；

《过把瘾就死》（中篇小说）发表于《小说界》第4期；

《刘慧芳》（中篇小说）发表于《钟山》第4期；

《千万别把我当人：王朔精彩对白欣赏》（王朔、魏人合著）由人民中国出版社出版；

《过把瘾就死》（著名作家新作大系）、《王朔文集》（纯情卷、矫情卷、谐谑卷、挚情卷）由华艺出版社出版；

《我是王朔》由国际文化出版公司出版。

【1993 年】

《海马歌舞厅：四十集电视系列剧》（电视剧本选集）、

《青春无悔：王朔影视作品集》由中国社会科学出版社出版。

【1995 年】

《王朔文集》（1—4 卷）由华艺出版社出版。

【1998 年】

《王朔自选集》由华艺出版社出版。

【1999 年】

长篇小说《看上去很美》由华艺出版社出版。

【2000 年】

《美人赠我蒙汗药》（对话集）由长江文艺出版社出版；

《王朔最新作品集》由漓江出版社出版；

《无知者无畏》（随笔集）由春风文艺出版社出版。

【2001 年】

《文学阳台—文学在中国》、《美术后窗—美术在中国》、《电影厨房—电影在中国》、《音乐盒子—音乐在中国》等“文化在中国”网站系列丛书由上海文艺出版社出版。

【2003 年】

王朔文集（包括《顽主》、《过把瘾就死》、《我是你爸爸》、《玩的就是心跳》、《篇外篇》、《橡皮人》、《千万别把我当人》及《随笔集》）由云南人民出版社出版。

【2007年】

小说集《我的千岁寒》由作家出版社出版；

长篇小说《致女儿书》由人民文学出版社出版；

小说随笔集《新狂人日记》由长江文艺出版社出版。

【2008年】

长篇小说《和我们的女儿谈话》第一部发表于《收获》第1期，并由人民文学出版社出版。

图书在版编目 (CIP) 数据

我的千岁寒 / 王朔著. — 北京 ：北京十月文艺出版社，2016.6

（王朔文集）

ISBN 978-7-5302-1575-3

Ⅰ. ①我… Ⅱ. ①王… Ⅲ. ①中篇小说—小说集—中国—当代 Ⅳ. ① I247.5

中国版本图书馆 CIP 数据核字（2016）第 057339 号

我的千岁寒
WO DE QIANSHUIHAN
王 朔 著

出 版 北京出版集团公司
北京十月文艺出版社
地 址 北京北三环中路 6 号
邮 编 100120
网 址 www.bph.com.cn
发 行 新经典发行有限公司
电话（010）68423599
经 销 新华书店
印 刷 北京盛通印刷股份有限公司
版 次 2016 年 6 月第 1 版
2022 年 10 月第 11 次印刷
开 本 850 毫米 ×1168 毫米 1/32
印 张 8.75
字 数 196 千字
书 号 ISBN 978-7-5302-1575-3
定 价 42.00 元
质量监督电话 010-58572393